묵상

:나를 품는 시간

묵상: 나를 품는 시간

발 행 | 2024년 1월 8일
저 자 | 유대칠
펴낸이 | 한건희
펴낸곳 | 주식회사 부크크
출판사등록 | 2014.07.15.(제2014-16호)
주 소 | 서울특별시 금천구 가산디지털1로 119 SK트윈타워 A동 305호
전 화 | 1670-8316
이메일 | info@bookk.co.kr

ISBN | 979-11-410-6562-1

www.bookk.co.kr

묵상

:나를 품는 시간

유대칠

차례

나 (사진 유대칠)

나는 아무것도 아니다.

나는 아무것도 아니다. 그냥 하는 말이 아니다. 정말이다. 내가 나를 있는 그대로 그릴 수 있는 가장 진실한 말이 바로 이 말이다.

나는 아무것도 아니다.

그런 내가 무엇이 되려 애쓸수록 나는 괴롭다. 내 애씀의 크기만큼 내 괴로움의 크기도 함께 커진다. 어느 순간, 내 있음이 그냥 괴로움이 된다. 담담히 그냥 아무것도 아닌 나를 담담히 품을 때, 나는 드디어 자유를 향해 한 걸음 다가가게 된다. 나조차 아닌 나, 아무것도 아닌 나, 내 아집(我執)에서 벗어난 해탈(解脫)에 한 걸음 다가가게 된다.

나는 아무것도 아니다.

그 깨우침이 그대로 내 있음이 될 때, 그때, 나는 제대로 있게 된다. 아무것도 아닌 것으로 말이다. 바로 그때 알게 된다. 아니, 품게 된다.

나는 아무것도 아니다.

아무것도 아닌 것이 나다.

내게 묵상(默想)은 바로 이런 시간이다. 아무것도 아닌 나를 품어가는 시간, 그걸 깨우치는 순간, 해탈의 자리로 한 걸음 더 나아가는 시간, 바로 그런 말이다. 그 묵상의 시간, 그 고마운 시간을 여기 담아 나눈다. 아주 부끄러운 마음으로 말이다.

1. 아집(我執)

사람은 죽어간다. 매일 조금씩 죽어간다. 어쩔 수 없다. 누구도 죽어가지 않는 사람은 없다. 그것이 산 사람의 운명이다. 사랑도 마찬가지다. 사랑도 매일 변한다. 때론 정(情)이란 이름의 무엇이 되기도 하고, 때론 아예 다른 이를 향한 마음이 되기도 한다. 그렇게 있는 것은 모두 변한다. 있는 지금도 하나로 있지 않고 서로 다른 여럿이 한 자리에 공존해 있다. 두 사람을 동시에 같은 깊이만큼 사랑하는 사람이 없으란 법은 없다. 정말 죽도록 죽고 싶지만 동시에 처절하게 살고 싶은 마음이 없으란 법도 없다. 그러나 우린 그렇게 나누어진 여럿으로 있는 자신을 그냥 두지 않고 항상 한자리에 하나로 모아 묶으려 한다. 변해가는 자신의 마음도 변하지 않게 묶어 두려 한다. 그러니 병(病)이 난다. 하나가 아닌 여럿으로 있으며 죽어가고 사라지는 것이 '나'란 있음의 진짜 모습인데 말이다. 그것이 진짜인데 진짜로 있지 못하도록 하니 병이 난다. 기운 없는 것이 어쩌면 당연하다. 진짜가 되어 살지 못하도록 하니 말이다.

'아집(我執)'은 '나'란 실체, 즉 자아(自我)가 영원히 고정되어 있다 믿고 집착함에서 시작된다. 태어나기 전 '원래 없던 것', 죽으면 당연히 '없을 것'을 두고서 영원을 꿈꾸니 괴롭지 않을 수가 없다. '늙어가는 나'도 괴롭고 '죽어가는 나'도 괴롭다. 그러니 아집을 '번뇌장(煩惱障)'이라고도 한다. '번뇌'의 시작이 바로 거기에 있기 때문이다.

'있음'이 나의 참모습이 아니라, '없음'이 나의 참모습이다. 없다가 잠시 있다가 다시 없어지는 것이 나란 존재다. 무엇을 가지고 무엇을 누리든지 결국 모두 사라지고 만다. 그렇다고 우울하게 있자는 말은 아니다. 우리 자신을 제대로 알잔 말이다. 우리가 어떠한 존재인지 말이다. 굳이 무엇이 되지 못해도 하고 싶다면 욕심 없이 즐기자. 굳이 가지지 못해도 함께 하고 싶다면 욕심 없이 함께하자 욕심 없이 만나고 머물자. 다음에 대한 욕심이 아집이 되고 번뇌가 되니 말이다. 지금, 바로 이 순간이 내 존재가 되게 하자. 다음을 향하여 욕심내고 미련을 가지지 말고 말이다.

스치듯 지나는 모든 인연에 고마워하며 찰나(刹那)의 인연에 욕심 없이 즐기며 모두와 더불어 그렇게 살자. 서로의 아집으로 흩어져 싸우지 말고 그렇게 욕심 없이 더불어 웃으며 살자.

천국을 향한 시선(視線)으로 살아가는 이는 종종 지금 바로 옆자리 자신과 더불어 있는 이의 소중함을 보지 못한다. 천국이란 죽음 이후 세상을 향한 욕심에 그만 지금 자신이 어디에 있는지 보지 못하는 것이다. 스스로는 화려한 차림으로 높은 곳에 앉아서는 “나누며 잘자” “더불어 있자” 이야기하는 서글픈 짓은 그만두자. 천국을 바라보는 시선, 그 아집으로 살아가는 이처럼 자신이 무슨 짓을 하며 살아가는지 모른다. 그러지 말자. 때론 이미 사라진 과거에 사로잡혀 지금을 살지 못하는 이도 있다. 과거에 머물고자 하는 이루어질 수 없는 슬픈 욕심에 지금을 살지 못하는 것이다. 그러지도 말자. 그냥 지금 여기, 미래에 대한 욕심도 과거에 대한 미련도 없이 우주의 작은 먼지와 같이 머물다 사라지자. 지금 여기, 나에게 찾아온 기쁨에 욕심도 미련도 없이 즐기면서 말이다.

2. 악구(惡口)

아픈 말이 있다. 듣고 있으면 참 마음이 아파진다. 그런데 막상 그 말을 하는 이는 그것이 얼마나 나쁜 짓인지 모를 때가 있다. 참 슬픈 일이다. 자신이 지금 무슨 일을 하는지 모르기에 그는 또 다른 이에게 또 다른 아픈 말을 아무렇지 않게 할 것이다. 막을 수가 없다. 그 말을 듣고 있으면 그냥 마음이 아프기만 한 것이 아니라, 아파서 화를 내게 된다. 그렇게 듣는 이도 독한 말을 한단 말이다. 남의 아픈 말에 아프니 자신도 독하게 아픈 말을 해 버리는 것이다.

'악구(惡口)'라는 말이 있다. '추악어(麤惡語)' 또는 '조악어(粗惡語)'라고도 한다. 불가(佛家)에선 남을 괴롭게 하는 나쁜 말 혹은 남을 화나게 하는 나쁜 말을 이렇게 부른다. 악구, 쉽게 생각하면 '나쁜 입'이다. 그 입은 남을 아프게 하고 또 아파서 화나게 한다. 화로 해결되는 것도 없는데 화나게 한다. 생각보다 우리 일상엔 그런 말이 많다. 조롱(嘲弄)의 언어들이 그러하다. 남을 아프게 하고 남을 화나게 한다. 시험에 떨어진 이에게 공부도 못하는 놈이라고 욕을 한다면, 아프게 하는 말이고 화나게 하는 말이다. 그런데 굳이 그렇게 '나쁜 말'을 왜 하는 것일까? 왜 스스로 '나쁜 입'

이 되는 것일까?

아집으로 살아가는 가진 자들은 자신보다 약한 이들을 조롱하는 맛을 즐긴다. 아주 못된 짓이다. 자신으로 인하여 아파하고 화내는 모습을 보면서 자신의 성공을 확인한다. 참 못된 성공이다. 그런데 우리의 행복이란 것이 이런 못된 성공과 무관하지 않을 때가 많다. 많은 이들이 공부하는 이유도 남을 이기기 위해서다. 남을 이겨 더 많은 것을 누리고, 더 높은 곳에 오르기 위해 공부한다. 그래서인지 부자 부모의 엄청난 지원 속에 좋은 대학교 들어가 사회의 지도층이 되었다는 이들 가운데 참 실망스럽게도 자기 자신만 생각하며 살아가는 이들을 어렵지 않게 본다. 사회에 못된 짓은 참 잘한다. 부끄러움을 느끼지도 못하니 말이다. 아집(我執)으로 살아가는 이들에게 부끄러움은 없다. 필요하다면 또 다른 무엇을 얻을 욕심에 사과(謝過) 비슷한 말을 할 수 있지만, 마음 깊이 부끄러워하지는 않는다.

가난한 사람은 배운 것이 없어 '자유(自由)'와 '주체성(主體性)'을 모른다는 말, 참 나쁜 말이다. 아프게 하고 화나게 한다. 지방의 사립대를 무시하며 하는 '지잡대'라는 말, 참 나쁜 말이다. 아프게 하고 화나게 한다.

인터넷 공간에 차고 넘치는 것이 사실 그런 말이다. 조롱의 언어가 일상이 되어간 현실이 참 아프다. 철학(哲學)이니 신학(神學)이니 공부한 이의 언어도 크게 다르지 않다. 자신과 다르면 조롱하고 무시한다. 그 조롱과 무시에서 자신의 정체성(正體性)을 확인한다면, 그 정체성은 참 못된 정체성이다. 아집 가득한 참 독한 정체성이다. '나' 아닌 '너'를 부정하고 확인하는 '나'라니 참 못된 정체성이다.

'악구'의 세상이다. 남을 아프게 하면서 자신의 성공과 정체성을 확인하는 세상, 참 무서운 세상이다. 영혼을 향한 주먹질이 '악구'다. 그 주먹질이 일상이 된 세상, 정말 참 슬픈 세상이다. '나'라도 내 말의 주먹에 준 힘을 조금은 빼야겠다. 어쩌면 그것이 더불어 삶의 시작이며, 아집에서 벗어나는 시작일지도 모르겠다.

3. 가립(假立)

욕심내지 마세요. 이 세상 모두는 결국 사라집니다. '영원(永遠)'은 없습니다. 죽어 없어지고 변해 사라집니다. 어쩌면 우리 삶의 많은 아픔은 너무나 당연한 바로 이 이치를 부정함에서 시작되는지 모릅니다. 영원, 그런 것은 없으니 가질 수도 없고 될 수도 없습니다. 어쩌면 바로 이것이 지혜의 시작일지 모르겠습니다.

처음 만나 사랑에 빠지면 누구나 영원한 사랑을 꿈꿉니다. 하지만 그 사랑도 변합니다. 그렇게 이별(離別)이 찾아옵니다. 물론 모든 사랑이 이별로 끝나지는 않습니다. 어떤 것은 정(情)이란 이름으로 변하기도 합니다. 하지만 첫 순간의 그 마음으로 있진 않습니다. 사랑은 영원하지 않습니다. 사라지기도 하고 변하기도 합니다. 생명이란 것도 마찬가지입니다. 생명도 영원하지 않습니다. 살아 있는 모든 것은 죽습니다. 아무리 오래 살아도 결국 죽습니다. 어쩌면 '살아감'이란 '죽어감'을 듣기 좋게 말하는 것일지 모릅니다. 건강한 몸도 마찬가지입니다. 그 역시 변하지요. 아무리 운동하고 아무리 관리해도 결국 나이 들어감에 따라 약해집니다. 이것이 자연입니다. 자연 말입니다.

‘가립(假立)’이란 ‘임시로 정해둠’을 의미합니다. 영원히 실재하는 ‘실체(實體)’ 혹은 ‘법(法)’이 아니라, 말 그대로 ‘임시로 정해둠’을 두고 부르는 말입니다. 영원한 ‘법’이나 ‘실체’가 아니라, 임시로 정해둠이기에 경우에 따라선 ‘가법(假法)’ 또는 ‘가유(假有)’라고도 합니다.

가만히 생각해 보면, 우린 ‘항상 불변(恒常不變)’하는 법, 즉 ‘실법(實法)’을 알 수 없습니다. 우리 자신이 영원하지 않은데 어떻게 그런 것을 알 수가 있겠습니까. 설령 있어도 알 수 없습니다. 있어도 모른다는 말은 없는 것이나 다름없다는 말이지요. 즉 우리에게 없단 말입니다. 그러니 우리에게 영원한 실체나 영원한 법, 즉 실유(實有)나 실법은 없는 것과 같습니다. 우리에게 모든 것은 그저 임시로 그리 정해둔 것뿐입니다. 즉 우리에겐 모든 것이 임시로 정해진 것입니다. 영원하지 않습니다. 그런데 그것을 영원한 것이라 고집합니다. 그 고집이 우리를 거짓의 세상에 살게 합니다. 사실 임시로 정해둔 것인데 그러한 것을 두고 영원한 것이라 고집해 버렸으니 말입니다. 가만히 보면 교리도 도덕도 어느 하나 정말 제대로 영원한 것은 없습니다.

사실 우리 존재 자체가 '가유'입니다. 임시로 있는 것, 영원하지 않은 것입니다. 우리 존재 자체가 그렇다는 말입니다. 그런 우리가 어리석게도 '영원'을 바라봅니다. '영원'을 고집합니다. 그렇게 '영원'을 바라보다 지금 여기 '나'를 보지 못할지 모릅니다. '나'는 죽어 사라질 존재입니다. 그리고 죽어 사라질 것과 더불어 살아갑니다. '죽어 사라질 것'이 '죽어 사라질 것'과 더불어 살아가는 것이 바로 '나'입니다. 이것이 어쩌면 지혜의 시작일지 모릅니다. '나'는 떨어진 낙엽과 그리 크게 다르지 않은 '찰나(刹那)'의 존재일 뿐입니다. 이것이 기억해야 할 지혜의 시작은 아닌가 생각해 봅니다.

4. 망언(妄言)

생각처럼 되는 일이 없다고 합니다. 그런데 본래 세상은 생각처럼 되지도 않고 생각처럼 있지도 않습니다. 생각처럼 모든 일이 이루어지고 생각처럼 모든 것이 있다면, 그는 유일신(唯一神)과 같은 존재겠지요. 어떤 막힘도 없이 살아갈 것입니다. 그러나 사람으로 있고 사람으로 살아가는 이상, 그런 일은 없습니다. 참 세상은 내 생각 '밖'에 있고 나는 내 생각 '안'에 살아갈 뿐이며, 내 생각 밖 세상은 내 생각 안 내 의지처럼 있진 않습니다. 그러니 조심해야 합니다. 이 세상은 내 생각과 다르다는 것을 기억해야 합니다. 그렇지 않으면, 마치 내 생각 속 세상이 이 세상의 참된 이치라고 말해 버리게 되니 말입니다. 자칫 있지도 있어서도 안 될 나의 아집을 참된 이치라고 말해 버리게 되니 말입니다.

신이 사람에게 계시를 내린다면, 그 사람이 알아들을 수 있는 언어로 알아들을 수 있는 환경 속에서 알아들을 수 있게 내릴 것입니다. 그런데 그렇게 내린 것이 신 그 자체의 영원한 진리가 되지 못하겠지요. 사람이란 존재가 있는 그대로의 신을 그대로 받아들일 만큼 거대한 존재, 신마저도 품을 신보다 더 큰 존재는 아니니 말입니다. 그 약한 존재에게 그 약한 존재의 편에서 그의 언어로 그의 환경에 맞게 신은 자신의 작은 마음을 내보여 주었을 것입니다. 그런데 그것은 분명 있는 그대로의 신 그 자체는 아니겠지요. 그런데 신이 과거 어느 날 어느 환경에 보여준 그것을 본 과거 누군가가 자신이 본 것만이 영원하고 참된 신 그 자체라고 고집부린다면, 어쩌면 그는 자신이 신 그 자체가 되어 버리고 싶은 것인지 모릅니다. 아니 신을 넘어선 무엇이 되고 싶은 것인지 모르겠습니다. 참 살아있는 신은 그의 언어 속에 구속되어 있지 않음에도 그의 언어 속에서 구속한 신만을 신이라 믿으라 강요하면서 말입니다. 다른 언어 다른 환경 속에서 신을 마주한 이들의 신을 조롱하면서 말이죠.

'망언(妄言)'은 실제로 있지 않은 것을 두고서 있다고 말하는 것입니다. '정언(正言)', 있는 그대로 있다 하는 것과 다른 것이죠. 사실 우린 있는 그대로를 말할 수 없습니다. 저기 저 나무 한 그루를 그냥 나무라고 말한다고 있는 그대로의 나무일까요. 그 나무에 둥지를 짓고 살아가는 새에게 나무라는 존재는 우리와 다를 것입니다. 그 나무의 과일을 먹는 산짐승에게도 나무라는 존재는 우리와 다를 것입니다. 나무를 팔아먹고 사는 사람에게 나무는 또 다른 존재겠지요. 산은 산이고 물은 물이라 하지만 그렇게 살기는 참 힘듭니다. 부동산 업자에게 산은 산이 아닌 투자할 그 무엇일지 모릅니다. 내 생각은 돈으로 세상을 보는데 내 생각 밖 세상은 그렇게 있지 않습니다. 내 생각엔 나의 의지와 욕심으로 만들어진 신이 참된 신인데, 내 생각 밖 세상은 그렇지 않습니다. 우린 내 생각 속에 구속되어 실제로 그리 있지도 않은 것을 있다라고 말하며 '망언의 삶'을 살고 있는지 모릅니다.

사실 사람의 눈엔 추악하고 더러운 무엇도 우주의 몸짓에선 그저 나와 크게 다르지 않은 하나의 몸짓일지 모릅니다. 우리의 차가운 조롱이 당연한 그 무엇이 아니란 말이죠. 그러나 우린 내 생각이란 틀 속에 구속되어 큰 고민 없이 망언의 삶을 살고 있는지 모릅니다.

정언은 우리가 이루기 위해 애쓸 무엇이라면 망언은 우리가 머물지 않기 위해 돌아보고 또 돌아보아야 할 무엇입니다. 우린 있는 그대로의 세상을 알 수 없다는 것, 기억하고 또 기억해야겠습니다. 그러면 말도 조심하겠지요.

5. 개사(開士)

선생다운 선생을 만나는 것은 정말로 큰 복입니다. 9살 때 일입니다. 반 아이들이 시끄럽다며 선생은 짝과 서로 마주 보고 서서 서로의 뺨을 때리라 했습니다. 참 나쁜 선생이죠. 아직도 그날의 기억이 선명하게 남아 있습니다. 11살 때 일입니다. 샤프 도난 사고가 일어났습니다. 아이들은 저를 의심했습니다. 마침 교회에서 받은 샤프가 그 샤프와 같은 것이었습니다. 참 억울했습니다. 저는 도둑질 하지 않았습니다. 선생 역시 아이들과 다르지 않았습니다. 모든 일이 친구의 실수로 마무리되었지만, 누구도 저에게 사과하지 않았습니다. 12살 때 일입니다. 그때 선생이란 이는 수업 중임에도 저에게 너무나 당연하다는 듯이 돈을 주며 박카스 심부름을 보냈습니다. 다른 친구들이 모두 수업할 때 저는 박카스를 사기 위해 학교 밖 약국에 가야 했습니다.

친구의 어머니는 무당(巫堂)이었습니다. 그 사실이 그 친구와 저의 사이에 큰 문제가 되지 않았습니다. 그런데 성당 다닌다며 자신의 신앙심을 자랑하던 선생은 공개적으로 그 친구의 어머니는 무당이라 했습니다. 교회를 다니고 성당을 다니던 이들 사이 제법 독한 조롱의 이야기들이 오간 모양이었습니다. 아직 어린아이들에게 무당이란 직업은 그리 친근하지도 않았고 긍정적이지도 않은 모양이었습니다. 그러나 그 친구에게 그날, 자신과 자신의 어머니를 공개적으로 조롱한 그 선생은 큰 아픔이었습니다. 지금도 전 그 선생에게 무엇을 배웠는지 하나도 기억나지 않지만, 그의 입에서 나온 조롱의 말들은 너무나 선명히 남아 있습니다. 한 친구는 성적이 떨어지자 자기 자신은 공부를 잘하지 못한 선배라며 자신과 같은 선배가 되지 말라는 글을 적은 도화지를 들고 저학년 교실을 돌게 한 선생을 아직도 기억하고 있습니다. 그 선생에겐 장난이나 교육 방법의 일부겠지만 그 친구에게는 30년이 더 지나도 지워지지 않은 상처입니다.

선생, 정말 선생은 어떤 존재일까요? 수업 중인 학생에게 함부로 심부름을 시킬 수 있는 존재가 선생일까요? 공부를 못한다는 이유로 모멸감을 주어도 좋은 존재일까요? 어쩌면 독재(獨裁)의 세상, 그는 교실이란 세상 속 독재자였습니다. 선생에게 기대하는 것은 어쩌면 그저 지식(知識)만은 아닙니다. 그 지식과 관련된 책을 보거나 관련 인터넷 동영상 강의의 도움으로 지식을 구하려면 구할 수 있습니다. 인제 어디서든 말입니다. 그러나 우린 여전히 '선생'을 만나고자 합니다. '선생'은 단순히 그러한 존재가 아니기 때문이다.

'개사(開士)'라는 말이 있습니다. 이 말은 보디사트바(bodhisattva), 흔히 보살(菩薩)이란 한자어로 부르는 산스크리트어 단어의 의역된 한자어입니다. 개사는 글자 그대로만 보면 '여는 사람'이란 말입니다. 도대체 무엇을 연다는 말일까요? 부처가 될 수 있는 바른 길, 즉 '정도(定道)'를 연다는 말입니다. 그렇게 '바른 길'을 열어 자신의 제자가 그 길로 부처가 될 수 있게 하는 사람, 바로 그런 사람이 바로 개사입니다. 부처는 똑똑한 사람이 아닙니다. 깨우친 사람, 눈을 뜬 사람, 그런 의미에서 부처는 너무나도 지혜로운 사람입니다. 개사는 제자를 지혜로운 사람이 되게하는 길을 여는 사람입니다. 참 좋은 말 같습니다. 진짜 선생, 우리가 기다리는 선생은 어쩌면 바로 그러한 선생일 것입니다. '바른 길'을 열어 생긴 그 길을 열심히 나아가 지혜를 이루도록 돕고 응원하는 사람, 정말 진짜 선생은 바로 그런 사람 같습니다.

6. 기어(綺語)

귀에 단 이야기가 있습니다. 듣고자 하는 이야기죠. 자신의 욕망을 긍정하는 이야기는 들으면 들을수록 참 좋습니다. 무엇인가 불안하던 욕망이 마침내 벗을 만난 느낌이라고 할까요. 하지만 그 이야기는 사실 '독(毒)' 입니다. 자신을 죽이고 자기 자신을 독으로 만드는 진짜 무서운 독입니다. 아집(我執)으로 단단해진 자신을 더욱 단단한 아집에 가두는 독일 뿐입니다. 그런 달콤한 이야기는 이기고 살라 합니다. 지지 말라 합니다. 참 달지요. 누가 지고 살고 싶겠습니까. 그렇게 이기고 살기 위해 싸우며 삽니다. 그런데 누구나 다 이기는 사람이 되진 않습니다. 그러면 아프지 말라 합니다. 자연에서 쉬라 합니다. 그러다 또 이기며 살라 합니다. 지지 말라 합니다. 그러면서 서서히 더 단단한 아집이란 감옥으로 들어갑니다. 한번 찰나(刹那)의 삶을 살다 가는 것이 '우리'의 운명입니다. 무엇을 가지려 해도 무엇도 가질 수 없는 것이 '우리'의 운명입니다. 그것이 바로 우리 자신의 참모습입니다. 그런데 무엇인가 더 가지기 위해 자기 자신마저 개발의 대상으로 만들어 버리는 것이 지금 우리의 현실입니다. 기억하세요. 자기 자신은 개발의 대상이 아닌 삶의 주체라는 것을 말입니다. 그런데 달콤한 이야기는 그만 이 사실을 잊게 만듭니다. 아집, 그 욕심으로 아픈 우리는 그 달콤한 이야기로 더 아파집니다. 더 깊게 아파집니다. 그래서 귀에 달콤한 이야기는 결국 독이란 말입니다.

‘기어(綺語)’라는 말이 있습니다. 비단결과 같이 발라 붙는 말입니다. 너무나 귀에 달콤한 말입니다. 그런데 사실 조금만 거리를 두고 생각하면 아무 뜻도 없고 득이 될 것도 없는 말입니다. 경우에 따라선 누군가의 욕심을 이루기 위해 사용되기에 막상 나에겐 아무 쓸모도 없는 말입니다. 그런데 그런 쓸모없는 말이 이런저런 포장으로 지혜의 말이 되어 있는 것이 요즘의 모습입니다. 참 서글픈 기어의 세상입니다.

죽어서 천국 갈 것이라는 달콤한 말에 이 현실의 부조리와 아파하는 이의 눈물에 그만 눈을 감고 오직 죽어갈 세상을 바라보며 삽니다. 그 아집에 나쁜 사람이 되어 버린 것이죠. 기어에 속아 아집에서 벗어나지 못해 자기 자신에게도 남에게도 독이 되어 버린 것입니다. 돈과 권력으로 강한 사람이 되면 행복해질 것이라며 우리 자신의 욕망에 단 이야기를 합니다. 그렇게 돈과 권력을 향하여 달려가다 어느 순간 돈과 권력만이 자신의 벗이지 누구에게도 참된 벗이 아닌 사람이 되어 버립니다. 너무나 당연한 이치입니다. 모두를 돈과 권력을 위한 수단으로만 생각하는 이에게 누가 참된 벗으로 다가갈까요. 그렇게 무너지기 시작합니다. 이 역시 마찬가지입니다. 자기 욕망에 단 이야기가 자신을 무너뜨린 것이지요.

기어의 세상, 자기 욕망에 단 이야기만을 들으려는 세상, 결국 자기 아집 속에서 자신은 자신에게도 그리고 그가 살아가는 세상에도 독이 되는 존재가 되어 버릴 것입니다. 참 무섭지요. 기어는 '자기 자신에게도' 독이고 '자기 자신도' 독으로 만들어 버리니 말입니다. 그러니 자기 욕망에 단 이야기에 조심하세요. 그 이야기는 독입니다. 기어는 독입니다.

7. 양설(兩舌)

이 사람에게 가서는 저 사람을 조롱하고, 저 사람에게 가서는 이 사람을 조롱하는 그런 사람이 있습니다. 이 사람에게 가서는 이 사람의 편이라 하고, 저 사람에게 가서는 저 사람의 편이라 합니다. 결국 그는 누구의 편도 아니고 모두를 조롱하는 사람입니다. 참 나쁜 사람입니다. 이 사람에게 가서는 그의 욕심(慾心)이 정답이라며 그의 욕심을 높이 세웁니다. 그 말에 이 사람은 더욱 단단한 아집(我執)으로 들어갑니다. 저 사람에게 가서도 같은 짓을 합니다. 저 사람도 더욱 단단한 아집으로 들어가 버립니다. 그리고 그 두 아집은 결국 서로의 답이 정답이라며 싸우게 됩니다. 그러는 사이 이 둘을 이간질한 그는 자신이 원하는 것은 차지해버립니다. 참 나쁜 사람입니다. 결국 그는 이 사람도 저 사람도 아닌 온전히 자신 자신의 편이기만 한 그런 사람입니다.

단단한 아집에 사는 이는 누군가를 싸워 이겨 빼앗으려 하고 누군가를 속여 빼앗으려고도 하지만, 다른 이를 이간질하여 서로 다투게 하여 빼앗기도 합니다. 다른 이를 이간질하여 서로 다투게 하는 것은 모두가 아집에 가득 차 있기에 가능합니다. 이 사람은 이 사람의 아집으로 살고 저 사람은 저 아집으로 살기에 이 두 아집을 서로 다투어 자신의 것을 차지하려는 또 다른 아집이 가능한 것이죠. 결국 모두가 아집으로 가득하기에 가능한 것입니다. 그렇게 이간질로 무엇인가를 얻은 이의 아집도 어쩌면 또 다른 누군가의 아집에 의하여 이용당하고 누군가와 다투게 되겠지요. 참 서글픈 현실입니다. 서로를 이용하고 버리고 취하는 세상 말입니다. 어쩌면 바로 이것이 지옥이 아닐까 싶습니다.

'양설(兩舌)'이란 것이 있습니다. 남들 사이에 끼여 이간질하고 고자질하는 것을 부르는 말입니다. 자기보다 앞서 보이면 그와 다투는 이에게 혹은 그를 통제할 수 있는 이에게 가 고자질을 합니다. 그냥 넘어가도 될 것은 고자질함으로 힘들게 합니다. 그리고 그 힘듬을 보며 즐깁니다. 왠지 이긴 것 같으니 말입니다. 서로 다른 생각으로 다투는 이들 사이에선 여기 가선 이 이야기를 하고 저기 가선 저 이야기를 하며 다툼을 더 크게 만들어 버립니다. 그리고선 좋아합니다. 왠지 그 둘을 이긴 것 같으니 말입니다. 그런 사이에 자기가 얻을 것을 얻을 수 있을 것 같으니 말입니다. 그런데 참 슬픈 것은 이런 '양설'이 '삶의 기술'이 되어가는 세상입니다. 남을 이기고 앞서가는 것이 행복이라고 이야기하는 세상에서 이간질하고 고자질하며 앞서가는 것도 그렇게 나쁘게 승자가 되는 것도 '삶의 기술'이 되어 버린 것입니다.

아집이란 이렇게 무섭습니다. 아집으로 가득한 세상, 모두가 자기 욕심으로만 살아가는 세상, 서로가 서로에게 심지어 언젠가는 자기 자신에게 독이 될 이야기로 승자가 되는 것도 '삶의 기술'이 되는 세상입니다. 그러면 우리도 그렇게 살아야 할까요. 우리도 남을 이용하며 이간질하고 고자질하며 그렇게 살아야 할까요? 남을 이용하고 속이는 것으로 행복해야 할까요? 그런 나쁜 행복으로 우린 살아야 할까요? 어차피 그렇게 속이고 살아도 결국 그 얻은 모든 것이 나의 것이 되지 못하는 것이 우리 존재의 운명입니다. 잊지 맙시다. 그렇게 살아도 우린 무엇도 가지지 못하고 결국 사라지고 말 것입니다. 어쩌면 이것이 답일 듯합니다. 그렇게 나쁜 사람이 되어도 우린 결코 얻고자 하는 것을 얻을 수가 없습니다. 그냥 둡시다. 그때 우리의 마음도 서로 속이고 다투는 마구니(魔仇尼, Maguni)의 세상에서 '참 자유'를 누리게 될 것입니다. 온갖 번뇌(煩惱)를 끊고 '참 나'의 '있는 그대로'를 깨우침으로 '아라한(阿羅漢)'의 모습에 조금 더 다가가게 될 것입니다.

8. 정정(正定)

산은 산이고 물은 물일까요? 우린 산을 산으로 보지 못합니다. 오늘도 뉴스엔 부동산 이야기가 빠지지 않습니다. 땅이 돈인 세상입니다. 산도 돈입니다. 생수 회사의 편에서 생각하면 물도 돈입니다. 땅도 물도 다 돈입니다. 요즘 청정 공기를 캔에 담아 팝니다. 공부하다 머리가 멍해지면 종종 사용합니다. 그러고 보면 공기도 돈입니다. 서울로 강의 가는 길, 전봇대에 붙은 광고지엔 결혼도 투자(投資)라고 합니다. 그러면 결혼도 결국 돈이네요. 우린 산을 보지만 돈을 보고 물을 보지면 돈을 봅니다. 결혼을 위해 누군가를 만나러 가지만 사실 돈을 만나러 갑니다. 가만히 생각하면 누군가는 나도 돈으로 볼지 모릅니다. 나는 나로 보지 못하고 나를 돈으로 보는 것이죠. 그런 사람과 아무리 오랜 시간 나와 사귀어도 그는 나를 만나지 못합니다. 나보다 돈을 만나겠지요.

종교도 철학도 마찬가지입니다. 싯다르타는 욕심을 버리라 했는데 다들 욕심을 한가득 가지고 불상 앞에서 절을 합니다. 자기 욕심을 들어달라면서 말입니다. 예수도 욕심을 버리고 이웃 사랑하자 했는데 참으로 화려한 옷을 입고 가난한 이들이 도달할 수 없는 높은 곳에 앉아서 가난한 사람을 도우라 설교하고 강론합니다. 참 이상하죠. 그러니 그런 말을 들은 이들은 그 말을 귀에는 담지만, 삶에는 담지 못합니다. 강론하고 설교하는 이들도 그렇게 살지 않으니 말입니다. 그저 한 번씩 가난한 이들을 보며 눈물 한 번씩 보이면 그것으로 그만입니다. 종교도 결국 크고 화려해지길 합니다. 그들이 믿는 신은 그러한 것을 좋아하나 봅니다. 그리니 신을 향하여 돈으로 다가가려 합니다. 그리고 어느 순간 돈이 모든 것의 보이지 않는 이유가 됩니다. 신이 되어 버립니다. 철학도 마찬가지입니다. 길을 걷다 벗을 만나 삶에 대하여 진지하게 궁리하며 더불어 답을 만들던 소크라테스와 같은 철학자는 이제 없습니다. 철학도 연구비를 받기 위해 합니다. 연구비를 많이 받고 책을 많이 팔면 그것이 좋은 철학자인 그런 세상이 되어 버렸습니다. 결국 철학도 돈의 노예가 된 것입니다.

'정정(正定)'이란 말이 있습니다. 번뇌(煩惱)로 어지러운 생각, 그 생각으로 세상을 보면 세상도 모두 어지럽습니다. 자기 마음이 어지러운데 어찌 자기 마음을 통해 보는 세상이 어지럽지 않을 수 있겠습니까. 올바른 마음으로 올바르게 세상을 보면 다릅니다. 어지럽지 않습니다. 있는 그대로를 보게 됩니다. 있는 그대로 산을 보고 또 물을 보게 됩니다. 돈에 가려진 산과 물이 아닌 있는 그대로의 산과 물을 보게 됩니다. 그래서 다투지 않습니다. 산을 돈으로 보는 이들은 더 벌려고 다툽니다. 친구든 가족이든 각자의 욕심 앞에 모두는 믿을 수 없는 적입니다. 그러니 다툽니다. 그러나 있는 그대로를 보면 산은 돈이 그냥 산입니다. 그리 보면 그의 삶도 달라집니다. 너무나 당연히 말입니다.

9. 여여(如如)

김국환이란 가수의 '타타타'라는 노래가 있습니다. 그런데 '타타타'라는 이 말은 사실 불교의 고전어인 산스크리트어 단어입니다. 산스크리트어의 글로 쓰면 तथाता (tathātā)입니다. 이 노래는 사실 매우 불교스럽지요. 그렇다고 종교성을 가진 노래란 것이 아니라, 불교가 생각하는 우리 모두에게 지혜가 될 만한 이야기를 담은 노래란 뜻입니다. 노래 가사처럼 죽으면 옷 한 벌 가져가지 못하는 것이 우리 현실입니다. 어쩌면 절대 부인할 수 없는 것이 바로 그것입니다. 우린 죽고 죽으면 아무것도 가져가지 못한다는 것입니다. 우리의 있는 그대로는 이렇게 완전한 가난입니다. 굳이 이야기하면 가난보다 더 심하게 우린 이 우주에 빚을 지고 태어났습니다. 생각해보세요. 이 몸, 이 몸도 나의 것이 아니라, 많은 식물과 동물이 죽어 그 죽은 존재의 기운을 받아 이루어진 것이 아닌가요. 그러니 우린 아무것도 가지지 않은 존재이면서 앞서 존재하는 혹은 더불어 존재하는 많은 인연에 빚을 지고 있는 존재입니다.

우리 존재가 가진 원죄(原罪)란 것 혹은 업(業)이란 것은 바로 이러한 것일지도 모르겠습니다. 그저 태어나 있는 것만으로 우린 많은 생명의 죽음으로 살아가니 말입니다. 그런 우리가 더 욕심을 내니 지구 전체가 아픈 것은 당연한 일입니다. 어쩌면 지금 문제가 되는 환경문제란 것도 바로 이런 이유가 있는 것은 아닐까 생각해 봅니다. 원래 빚으로 있으며 미안해해야 하고 고마워해야 하는데 더 욕심을 내니 난리가 난 것이죠.

'여여(如如)'라는 말이 있습니다. 산스크리트어 '타타타'의 한자어 번역어입니다. 이 말은 있는 그대로의 세상, 즉 만물의 본질을 뜻합니다. '여여'는 '진여(眞如)'라고도 합니다. 이 역시 '있는 그대로의 것' 혹은 '꼭 그러한 것'이란 말입니다. 한마디로 '있는 그대로의 참모습'이란 뜻이죠. 아집(我執)으로 힘들고 서로 다투고 지고 이기는 삶에서 벗어나기 위해, 가장 먼저 알아야 하는 것은 어쩌면 '여여'입니다. '있는 그대로의 참모습' 말입니다. 우린 죽습니다. 아무것도 가져갈 수 없습니다. 무엇이 되어 살아도 죽어서는 그 무엇도 아닌 그저 다 흩어져 버리는 먼지일 뿐입니다. 그것이 우리 자신의 가장 분명한 진실입니다. 바로 이것을 알게 되면, 그 앎이 우리 삶이 되면, 이 세상 가득한 다툼이란 것이 참 아쉽습니다. 결국 사라지고 결국 가지지 못하는데 말입니다.

‘무소유’는 우리에게 선택이 아닌 운명이란 사실 그것이 우리 자신에 대한 결코 의심할 수 없는 확실한 진실이란 것을 기억하고 또 그렇게 살아야겠습니다. 그러면 참 자유로워질 수 있을 듯합니다. 참 편하게 살 수 있을 듯합니다. 우리에게 ‘참 자유’, ‘산 자유’를 주는 가장 소중한 그러나 아집으로 살아가는 우리가 애써 고개 돌리는 바로 그 ‘진리’, 그 ‘진여’, 그 ‘여여’는 그리 대단한 것이 아니다. 그냥 우린 아무것도 아니란 사실입니다. 꼭 기억하고 그리 살아야겠습니다. 난 정말 아무것도 아닙니다.

10. 유탕(流蕩)

이리저리 흔들리며 사는 것이 삶입니다. 한 길로 쭉 간다지만, 그 길에서도 멈추다 가다 또 멈추다 가는 것이 삶입니다. 항상 한 길로만 쭉 가지 않습니다. 그 가던 길이 아니다 싶어 다시 새로운 길을 시작한다고 잘못도 아닙니다. 그냥 다시 시작하여 가는 그 길도 그가 가는 큰길의 한 부분일 뿐입니다. 그렇게 사는 것입니다. 그것이 삶입니다. 실수도 실수가 아닌 것이 삶이고 성공도 성공이 아닌 게 삶입니다. 몇 번씩이나 실패해도 실패가 아닌 것이 삶이란 말입니다. 큰 사업을 하다 작은 사업을 하게 되는 것도 실패가 아니고, 작은 사업을 하나 큰 사업을 하게 되는 것도 성공이 아닌 게 삶입니다. 몇 번 결혼하고 이혼해도 실패도 성공도 아닌 것이 삶입니다. 결국 그 모든 것을 가져갈 수 없기 때문입니다. 죽으니까요. 죽어서 무엇을 가져갈 수 있나요. 성공도 실패도 가져가지 못합니다. 그냥 그 순간 성공이든 실패든 집착 없이 즐기며 사세요. 그 즐김에도 집착 없이 말입니다. 미련 없이 즐기고 미련 없이 성공하고 미련 없이 실패하며 그냥 그렇게 사세요. 바로 그것이 깨우침이 아닐까 생각합니다. 어차피 사라진 것이 이런저런 남의 기준에 성공이니 실패니 울고 웃으며 살아가는 것이 아니라, 자신의 즐김을 따라 심지어 그 즐김에 지배당하지 않으며 살아가다 사라지는 것 말입니다.

'유탕(流蕩)'이란 말이 있습니다. 흔들거리며 흘러가 버린다는 의미의 말입니다. 여기저기 흩어져 흘러가 버린다는 '유산(流散)'이나 여기저기로 달리다 흩어져 사라져 버린다는 '치산(馳散)'이란 말로도 쓰입니다. 나쁘게 들리지만 산 우리의 처지입니다. 흔들리며 사는 것이 우리입니다. 여기저기 흩어지며 사는 것이 우리입니다. 평가 말고 그냥 흔들거리며 여기 갔다가 저기 갔다가 하세요. '실패'니 '성공'이니 남의 기준에 흔들리지 않고 자기 궁리와 자기 결단으로 흔들린다면 마음껏 흔들리는 것도 좋습니다. 그것이 우리네 삶입니다. 이리저리 흔들린다 슬퍼말고 남의 시선에 자기 자신을 남이 되어 평가하며 아파하지 말고, 그냥 흔들리며 사세요. 성공도 실패도 가져가지 못하니 미련 가지지 마시고 흔들거리세요. 그 번뇌(煩惱)의 흔들거림에서 어쩌면 정말 제대로 된 깨우침을 얻게 될지 모릅니다.

제대로 된 깨우침은 초지일관 성공의 길을 가는 이에게서 얻어질 수 없죠. 실패를 모르고 흔들거림을 모르는 이에게 흔들거리며 살아가는 보통의 우리가 무엇을 배울까요. 항상 실패만 하는 이에게도 우린 배울 것이 없습니다. 항상 실패만 하는데 그에게 무엇을 구할까요. 성공하고 실패하고 웃고 울고 그렇게 흔들거리며 살아가는 이만이 제대로 우리에게 도움이 되는 참 깨우침을 얻게 될 것입니다. 그러고 보면 우리 자신이 우리 자신에게 가장 쓸모 있는 깨우침을 할 사람이란 생각이 듭니다.

유탕의 삶, 어쩌면 깨우침의 시간을 보내는 삶일지 모릅니다.

11. 견취(見取)

거짓을 거짓이라 믿고 말하기 어려울 때, 진리를 거짓이라 부르기도 한다. 그러면 마음이 편하기 때문이다. 잘못 없이 잔혹하게 죽임을 당한 이들이 있다. 그들의 그 억울함에 함께 하지 못할 때, 심지어 그 가해자가 나에게 침묵을 대가로 무엇인가를 건낼 때, 그 사악한 거짓을 진리로 믿어 버린다. 그러면 자신은 그리 나쁜 사람이 아니고, 죽은 그들만 나쁜 사람이 되기 때문이다. 그들 자신이 잘못해서 그래서 그 잘못의 탓으로 죽어야 할 사람이 죽었다고 생각해버리면 마음이 편하기 때문이다.

가난하고 아프고 힘든 이들이 있다. 그들을 아프게 한 이 현실보다 그저 그들의 게으름을 먼저 보는 것이 편하다. 애써 돕지 않아야 할 이유도 생기도 돕지 않아도 나쁜 사람이 되지 않을 이유도 생기기 때문이다.

보고 싶은 것만 보고 그것을 진리라고 믿어 버리면 참 편하다. 아픈 사람의 아픔을 보며 더불어 울기보다는 그의 잘못 때문이라 비난해 버리면 참 편하다. 억울하게 아프고 고난 속에 있고 또 죽어가는 이를 보면서 그들의 탓이라 고개 돌리면 참 편하다. 그런데 참 나쁜 편함이다. 자기 아집(我執)에서 만들어진 자기 관념만을 본다. 참 편하지만 참 나쁘다. 거짓도 진리로 믿어버린다. 참 편하지만 참 나쁘다.

'견취(見取)'라는 말이 있다. 그릇된 것을 바른 것이라 집착하는 것이다. 참 나쁜 고집이다. 나쁜 자신을 선한 자신으로 고집한다. 그러면 나쁜 자신이 아프게 하는 자신이 덜 아플 수 있으니 말이다. 차라리 아프고 또 아프고 거짓을 거짓이라 하고 비겁한 자신을 비겁한 사람이라 하자. 적어도 부조리한 현실을 바꾸지 못했지만, 그 존재 자체가 거짓이 되진 않을 것이니 말이다. 거짓이 진리가 되는 방법은 고집이 아니라, 뉘우침이다. 자신의 거짓과 위선 그리고 아집을 직시하기 쉽지 않다. 인정하기 쉽지 않다. 그냥 어쩔 수 없었다며, 그것이 최선이라며, 믿는 것이 편하다. 그냥 그들이 나쁘고 나는 최선을 다선 좋은 사람이라 믿으면 편하다. 그런데 그렇게 존재 자체가 거짓이 되어간다. 결국엔 거짓이 바로 자기 자신이 되어 버린단 말이다. 다시 말하지만, 거짓이 진리가 되는 방법은 고집이 아니다. 뉘우침이다. 아프고 힘들어도 그게 답이다.

12. 추중(麤重)

마음의 짐은 몸의 짐이 된다. 마음이 아프면 몸이 아프다. 그리 생각하면 마음이란 곧 몸이다. 마음이 없으면 아픔도 기쁨도 없다. 마음이 그리 느끼는 것이다. 마음의 앎과 몸의 앎이 다르지 않다. 마음에 담긴 모든 것은 몸으로 들어온 것이다. 몸으로 들어오지 않은 것 가운데 하나도 우린 제대로 알지 못한다. 사랑도 몸으로 살아갈 때 제대로 안다. 국어사전을 찾아 사랑이란 말의 뜻을 안다고 사랑을 아는 게 아니다. 사랑은 몸으로 사랑이란 삶으로 살아야 안다. 몸으로 사랑이란 삶을 살 때, 마음은 사랑이 된다. 마음이 사랑이 될 때, 몸도 기쁘다. 심장이 뛰고 웃음이 난다. 이렇게 몸과 마음은 다른 것이 아니라 같다.

아프고 힘든 세상, 너무 어려서 아프고 힘든 삶을 사는 이들이 있다. 몸이 힘들고 아프니 그 마음이 아프지 않고 힘들지 않을 수 없다. 어린 나이, 병든 부모의 병간호를 하며 힘들게 살아간다는 이들의 이야기를 들었다. 마음이 아프다. 눈물이 난다. 내 몸도 슬픈가 보다. 그들의 그 힘든 삶에 그들의 몸은 얼마나 아프고 힘들까. 그 몸의 아픔만큼 그 마음은 또 얼마나 아플까. 더불어 나누어 들지 못하는 우리가 참 차가운 존재다. 우리 마음이 그리 차갑기에 우리네 얼굴도 때론 참 무섭다. 마음만큼 몸도 차가워지는 모양이다. 그런 몸으로 살아가니 그들의 삶은 더 외롭고 힘들 것이다. 그러면 그들의 마음은 또 얼마나 더 아프고 힘들까. 눈에 보이는 그들의 짐을 조금이라도 나눈다면 그들의 마음도 조금은 더 힘들지 모른다. 그런데 우리 차가운 손은 그들을 향하지 않고 그저 어찌하면 더 가지고 더 누릴까를 생각한다. 그 차가운 손만큼이나 그 마음도 차가울 것은 뻔하다.

'추중(麤重)'이란 말이 있다. 말 그대로 거침과 무거움이란 말이다. 거칠고 무거운 몸의 짐은 그대로 마음의 번뇌(煩惱)가 된다. 그렇게 몸과 마음은 모두 거칠고 무거운 번뇌에 사로잡힌다. 어쩌면 그들의 그 거칠고 무거운 번뇌의 시작은 우리네 차가운 몸과 마음일 것이다. 더불어 나누어 들지 못한 그 거칠고 무거운 짐에 그들의 몸과 마음이 그리도 힘든 번뇌에 살아가는 것이니 말이다. 그리 생각하면, 그들 번뇌란 병의 세균은 바로 우리 자신이다.

저 산 작은 잡초도 이 번뇌는 없다. 흙이 자신을 내어주고 이슬이 자신을 내어 주며, 부는 바람이 자신을 내어 준다. 숲속 그 많은 생명이 더불어 나누어 들며 서로가 서로에 기대어 있다. 저 큰 나무가 주인 같아도 그렇지 않다. 저 큰 나무는 어느 새의 집이고 어느 벌레의 집이며, 그 과실은 어느 짐승의 밥이다. 그리고 죽으면 온몸을 거름으로 내어놓는다. 그러니 저 큰 나무도 숲의 주인이 아니라, 그저 모두가 더불어 있을 뿐이다. 서로의 거칠고 무거운 존재의 짐을 각자의 자리에서 각자의 방식으로 나누어 품고 있는 게다. 그러니 저 작고 작은 잡초라도 거칠고 무거운 번뇌 없이 그저 자기다움으로 살아가다 또 다른 무엇이 되어 사라질 수 있는 것이리라.

13. 악작(惡作)

철학을 하며 산다. 몇 권의 책도 쓰고 몇 권의 논문도 적었다. 거의 20여 년 전, 나의 첫 논문이 학술지를 통해 세상에 나왔다. 조금 가난하고 힘들어 열심히 살면 된다고 생각했다. 박사 과정을 다니며 다니던 철학과가 문을 닫았다. 돈이 되지 않는다는 이유로 철학과가 문을 닫았다. 그렇게 나는 대학에서 버려졌다. 자연히 내 철학의 공간은 대학이 아닌 세상이 되었다. 하지만 대학 밖 세상에서 나는 아주 작디작은 존재에 지나지 않았다. 내 철학은 아무것도 아니었다. 보지도 않았고 듣지도 않았다. 나는 그저 큰 매력 없는 지방대의 사라진 철학과 출신 30대일 뿐이었다. 단순 노무(勞務)부터 온갖 아르바이트를 하며 30대를 살았다. 일을 다니다 교통사고가 나 다리가 부러지고 뇌출혈로 한 달 의식이 없어도 조금 움직이기 시작할 때부터 목발을 하고 아르바이트하기 위해 다녔다, 누구 하나 열심히 산다는 이도 없는데 말이다. 그러면서 논문을 적었다. 1년에 한 번은 논문을 적어야 한다는 의무감에서 말이다. 사실 그렇게 두드러진 실력도 아닌데, 어떤 식이든 그 약속은 대부분 지키며 살았다. 그렇게 새벽엔 논문을 적거나 공부를 하고 낮엔 돈을 벌기 위해 일하며 살았나. 문 닫은 철학과 출신의 박사 수료생에게 시간강사도 쉽지 않았다. 고마운 선생님의 덕으로 8년간 일주일에

한 강좌 강의하는 시간강사 생활을 했다. 그것이 공식적인 내 유일한 직장이었다. 힘겨운 마음에 친구에게 이 아픔을 이야기하면 참 쉽게 이야기했다. 아프고 너무 아파서 아프다는 말을 용기 내어 말했는데 그들에겐 그저 남의 아픔이었다. 이 힘겨움을 해결해 달란 말도 아니고, 돈 빌려 달란 말도 아닌데 말이다. 너무 아프고 아파서 아프단 말을 용기 내어 말한 것인데 나의 아픔은 그냥 그들에겐 남의 아픔이었다.

'악작(惡作)'이란 말이 있다. 쉽게 생각하면 후회(後悔)란 말이다. 불가에선 추회(追悔)라고도 한다. 누군가는 오작(惡作)이라고도 한다. 과거 나의 잘못을 돌아보며 그 잘못된 행위를 혐오(嫌惡)함이란 뜻에서 말이다. 철학을 공부하며 살았다. 그것은 잘못된 행위도 아니고 부끄러운 것도 아니기에 철학 하는 삶을 선택한 나의 과거 행위를 잘못이라 생각하지 않는다. 그러니 후회의 마음도 없다. 악작의 마음은 없단 말이다. 그저 힘들단 나의 말에 함께 울어준 친구가 생각난다. 그 친구 앞에선 그냥 마음이 편했다. 이런저런 조건 따지지 않고 그저 같이 울어주는 이가 있다는 것이 참 좋았다. 나의 이 아픔이 그저 홀로 외롭지 않은 아픔이구나 하는 생각에 말이다. 어느 날 그 친구가 나에게 커피 한 잔을 청했다. 주머니에 돈도 없고 이런저런 핑계로 다음을 기약했다. 그것이 마지막이었다. 이제 그 친구는 이 세상에 없다. 사고(事故)로 그 친구는 이 세상을 떠났다.

친구가 보고 싶다. 요즘 나는 이런저런 힘든 일에 참 많이 힘든 시간을 보내고 있다. 그래도 이제는 '아프다'는 말을 할 곳이 없다. 그냥 혼자 아프며 산다. 커피 한 잔 마시자던 커피 가게를 지나면 그 친구가 생각난다. 그때 그 친구를 만났어야 했다. 후회스럽다. 그렇게 빨리 떠날 것이라곤 생각하지 못했다. 후회스럽다. 이 후회는 지난 내 잘못에 대한 미움도 있다. 돈이 없어도 그냥 나갔어야 했다. 나가지 않은 나에 대한 미움도 있다. 그러나 '그리움'이다. 그 친구가 그립다. 후회스럽다. 나갔어야 했는데 말이다. 지금 나는 홀로 운다. 그러니 더 그립다. 후회스럽다. 또 다른 악작의 시간이 없기 위해, 나도 그 자리가 오면 기꺼이 누군가와 더불어 울어주어야겠다.

14. 수증(隨增)

참으로 차가운 부모 아래 자란 친구가 있었다. 얼마나 차가운지 정말 부모인가 싶었다. 그런데 지금 생각하면 그 부모 둘도 서로에게 감옥과 같은 존재들이었으니 제대로 부모로 살기가 쉽지 않았을 것이다. 노년이 된 그때까지도 서로 부부로 살기도 힘든 이들이었으니 말이다. 그렇게 그 친구는 너무 어린 나이에 버려지듯 '산 부모'와 이별하였다. '산 부모'지만 그에겐 '죽은 부모'나 다름없었다. 미운 마음이 참 깊었다. 그렇게 부모를 미워하는 자신을 두고도 참 힘들어했다. 부모라는 존재이니 말이다. 미워도 정말 너무 미워도 부모라는 존재이니 말이다. 그 친구는 제법 빨리 결혼했다. 외로운 마음에 남보다 조금 빨리 행복한 가정을 꾸리고 싶은 모양이었다. 하지만 쉽지 않았다. 빈손으로 시작한 부부이니 어쩌면 그 어려움은 당연했는지 모른다. 거기에 그들 사이 태어난 아이는 많이 아팠다. 태어나자 곧 입원 생활을 시작한 아이였다. 그 이후로도 항상 대학병원을 찾아 관리해야 하는 아이였다. 빈손의 부부는 더욱 힘들어졌다. 여유라곤 없었다. 밤낮없이 그들은 항상 일을 했었다. 그러나 좋아지지 않았다. 언젠가 좋은 날이 올 것이라며, 조바심 내지 말고 기다리라는 말은 막상 통장에 만원도 남지 않은 이에겐 폭력과 같은 말이다. 이런저런 일들을 쉬지 않고 했지만, 어느 하나 제대로 되지 않았다. 차가운 부모에게 찾아가 간절히 매달렸지만 역시나 차가웠다.

차가운 부모의 차가움에서 시작한 마음의 감기는 빈손의 가난한 부부라는 현실이 되었다. 가난한 부부라는 현실은 아픈 아이라는 아픔을 만나 더욱 아프게 되었다. 그렇게 그 친구의 감기는 깊어지고 깊어졌다. 어느 날, 자신의 아이에게 문자 한 줄 남기고 스스로 생을 마감해 버렸다. 나는 스스로 선택한 죽음이 아니라, 마음의 병이 깊고 깊어 죽음에 이른 것이라 믿는다. 그는 마음의 병으로 죽은 것이다. 그는 자살(自殺)이 아니라 병사(病死)했단 말이다.

'수증(隨增)'이란 말이 있다. 따라서 증가한다는 말이다. 하나의 번뇌는 하나의 번뇌로만 머물지 않는다. 그 번뇌는 다른 번뇌를 부르고 또 스스로 더 깊어진다. 점점 증가한단 말이다. 그렇게 번뇌는 어느 순간 한 존재의 모든 것을 지배(支配)해 버린다. 그러면 그 존재 자체가 아픔이 된다. "번뇌에서 벗어나자"라고 말하지만 사실 쉽지 않다. 이미 깊어진 병으로 죽어가는 이에게 "병에서 벗어나라" 말한다고 쉽게 벗어나지 못한다. 어쩌면 그 '수증'의 시작, 그 번뇌의 시작, 그 마음의 병의 시작에 그와 더불어 있어 주어야 할 누군가가 세균으로 있던 것은 아닌지 돌아본다. 따스해야 할 부모의 차가움이 그에게 세균이었고, 아파 우는 그와 더불어 울지 못한 그의 친구들이 그에게 세균이었는지 모른다. 이 세균들이 마음의 병을 더욱 깊게 하고 결국 죽음에 이르게 한 것은 아닌지 모르겠다. 어쩌면 나는 누군가에게 수증의 이유이고, 그 마음의 병, 그 병의 세균인지 모른다. 참 무서운 일이다.

15. 해태(懈怠)

'지옥(地獄)'이란 좋을 게 하나도 없는 곳이다. 물론 이 세상에서 지은 죄의 값으로 가는 곳이긴 하지만 참 슬프고 잔혹한 곳이다. 누구도 지옥에 가고 싶어 하진 않는다. 반면 '극락(極樂)'은 다르다. '극락'은 '한없는 기쁨'이란 말이다. 좋은 것 말고 나쁜 것은 없는 곳이란 말이다.

아집(我執)으로 가득 차 살아가면 지옥에 간다. 나의 욕심에 누군가는 아플 것이다. 어쩌면 그 아픔이 나의 승리를 더욱 빛나게 하는 무엇이 될지도 모른다. 누군가의 패배에 웃으며 앞으로 간다. 그러다 누군가에게 패배하기라도 하면 분하고 억울한 마음에 칼을 간다. 그리고 싸우고 이긴다. 그리고 또 싸우고 진다. 그렇게 살아간다. 승자가 되어야 한다는 그 마음, 그 마음에 한없이 싸워가며 투사(鬪士)가 되어간다. 그러다 제법 승자의 자리에 오르면 세상을 내려다보며 훈수(訓手)를 두기도 한다. 아프고 힘든 자들의 고통을 거름 삼아 일어난 승리에서 나온 훈수이기에 사실 큰 위로가 되지 못한다. 그저 승자의 여유로운 정도라고 할까.

어느 정도 시간이 지나 그 승자들은 자신들의 힘으로 자신들을 위한 사회를 만들어 버렸다. 법도 그들이 만들고 그 법을 유지하고 적용하는 것도 그들이 하니 그리 어렵지 않은 일이다. 이제 자신이 자신보다 가진 것 없는 이에게 패배할 가능성은 거의 없는 사회를 살게 된 것이다. 쉽게 자신의 기득권과 재산을 유지할 수 있는 그런 사회를 살게 된 것이다. 그렇게 아무리 애써도 크게 달라지지 않는 세상을 만들곤 이제 더 여유롭게 승자의 삶을 즐긴다. 아집 속에서 그 아집으로 단단해져 살아가는 이들의 세상은 그렇게 완성되었다.

누군가는 한없이 즐기는 삶의 또 다른 면엔 잔혹한 비극이 있다. 아무리 노력해도 달라지기 힘든 사회는 가능성만으로 가득한 청년에겐 지옥이나 다름없다. 그 가능성의 크기가 크면 클수록 아픔은 더욱더 깊어진다. 결국 이루어지지도 채워지지도 않을 가능성이기 때문이다. 아집으로 살아가는 이들이 만든 그 아집의 세상은 이렇게 현실을 지옥으로 만들어버렸다. 수십에서 수백 원이나 하는 집에서 호화롭게 살아가는 이들이 있는 세상에 자기 집 없이 남의 집에 먹을 것이 없어 죽어가는 이들이 있다. 엄청난 가격의 과외를 받으며 자라는 아이들이 있다면, 스스로 일을 하며 아픈 부모를 돌봐야 하는 아이들이 있다. 누군가에겐 원하는 것이

쉽사리 현실이 된다면, 누군가에게 꿈을 꾼다는 것이 사치인 그러한 세상이다.

'해태(懈怠)'라는 말이 있다. '노력하지 않는 마음'이다. '게으름'이다. 가진 자의 그 '해태'에 많은 이들이 죽어간다. 성공을 위해 함께 노력하며 아파한 이 땅 수많은 실패와 애씀에 대한 그들의 차가운 게으름에 이곳은 '지옥'이 되어 버렸다. 패자에겐 무엇을 해도 이루어질 수 없는 지옥이 되어 버린 것이다. 골목 작디작은 구멍가게의 힘겨운 삶의 애씀마저 막아 버리는 거대한 기업의 차가움은 어찌할 것이며, 차가운 건물주의 그 차가운 임대료는 어찌할 것인가. 더불어 살아야 할 그들의 배신, 그저 자기 삶만 누리며 더불어 애쓴 그 열심에 대한 그들의 그 차가운 해태는 어느 순간 그들의 삶조차 차가운 비극이 되게 할 것이다. 그것이 이 세상의 이치라 믿는다. 가진 자의 해태, 가진 자의 아집, 이 사회는 지옥이 되어가고 있다. 결국 지옥에선 그들조차 웃지 못할 것임을 그들이 알기를 바랄 뿐이다.

16. 망어(妄語)

'거짓'은 남만 속이거나 기만(欺瞞)하진 않는다. 잘 보면 자기 자신도 속인다. 그것이 거짓이다. 잠시, 자신의 거짓으로 자신이 원하는 것을 조금 더 많이 얻었다고 결코 좋은 것이 아니다. 하지만 어느 순간 거짓도 능력이라 믿게 될 것이다. 그 믿음에 따라, 자신에게 득이 된다면 어떤 망설임도 없이 거짓을 토해낼 것이다. 종교라고 다를 것이 없다. 오히려 더 실망스럽다. 신(神) 앞에서 거짓을 않겠다는 이들의 거짓이니 말이다. 어느 종교 단체의 비리(非理)를 조금은 가까이서 본 일이 있었다. 부끄러움도 없이 사람들에게 신의 뜻이라며, 신의 일이라며, 너무나 아름다운 선(善)이라며, 온갖 거짓을 토해냈다. 그들에겐 신도 자기 욕심의 수단일 뿐이다. 신조차도 자기 사업의 수단일 뿐이란 말이다. 필요하다면 신조차도 자기 이득을 위한 거짓의 수단일 뿐이다. 그런데 참 신기하게도 그들은 부끄러움을 모른다. 오히려 당당하다. 자신은 신의 일을 했을 뿐이라며, 오히려 큰소리를 친다. 어쩌면 자신의 거짓에 자기 자신도 속아 버린 것인지 모른다. 그런데 그렇게 자기가 만든 거짓에 속아 버리는 편이 더 좋을지 모른다. 그 부끄러운 악(惡)을 아무런 부끄러움 없이 할 수 있었으니 말이다. 자기 자신에게 자기 자신이 속아 버림으로 말이다.

'거짓'은 남도 속이고 자기 자신도 속인다. 그래서 독한 거짓에 빠지면 그 자체로 남도 죽이고 자기 자신도 죽이는 '독(毒)'이 된다. 그런데 불행히도 스스로 독인지 모르는 그러한 독한 독 말이다. 그래서 더 무서운 그런 독 말이다. 남을 이기고 남보다 더 화려해 보이기 위해 '거짓'도 실력인 그런 시대가 왔다. '독'의 시대가 왔단 말이다. 서로가 서로에게 '독'이 되는 '독'의 시대가 왔단 말이다. 참 서글프다.

'망어(妄語)'란 말이 있다. '거짓말하는 것'을 두고 부르는 말이다. '참된 말'이 아니라 '헛된 말'을 두고 부르는 말이다. 아집(我執) 속에서 만들어진 '헛된 말'은 마땅히 있어야 할 '참'은 비워지고 그 자리에 마땅히 없어야 할 '독'이 가득한 말이다. 남을 죽이고 자기 자신도 죽이는 독으로 가득한 말이다. 자기 자신만을 위해 살아가는 세상, 자기 자신을 위해서라면 거짓도 능력인 세상, 독이 된다는 것이 부끄러운 일이 아닌 세상, 그러고 보면 우리는 참 힘든 세상을 사는 것같다. 망어의 세상, 그래도 어찌하겠는가. '나'부터 아집 가득한 거짓으로 우리 모두를 속이며 살지 않으려 노력하는 수밖에 없어 보인다.

17. 혼침(惛沈)

세상은 점점 편해진다는데 이상하게 마음의 짐은 점점 더 무거워진다. 사실 과거에 비해 정말 편해졌다. 굳이 시장이나 가게 갈 것 없이 손에 든 스마트폰으로 물건을 살 수 있다. 저 멀리 남의 나라 책도 손에 든 스마트폰이 살 수 있다. 참 편하다. 굳이 은행을 걸어가지 않아도 어디서든 은행 일을 볼 수 있다. 진짜 너무나 편하다. 아무리 멀리 있어도 실시간으로 소통할 수 있다. 영상 통화는 기본이고 지구 곳곳에 흩어진 이들이 인터넷으로 한자리에 모여 회의를 할 수 있다. 언제 어디서든 원하기만 하면 각기 다른 곳에 있다 해도 가상의 공간 속에서 만나 회의를 할 수 있단 말이다. 정말 참 편하다. 진짜 너무나 편하다.

그런데 마음의 짐은 가볍지 않다. 오히려 더 무거워진 느낌이다. 왜일까? 여러 이유가 있을 것이다. 모두가 더 편해진 수단으로 더 빠르게 자신의 욕망을 이루기 위해 달려가는 세상, 저마다 1등이 되기 위해 노력하는 세상, 한 명이라도 더 이기기 위해 노력하는 지금이 힘들어 무거울 수도 있다. 또, 우리의 편함을 위해 더 힘들고 더 아픈 시간을 보내는 이들이 있어 그럴 수도 있다. 더 편한 우리의 소비를 위해 많은 택배 노동자들이 죽었다. 더 편하고 더 빠르게 변화하는 세상을 따라 가지 못한 많은 상점은 문을 닫았다. 그리고 사람을 대신할 기계들이 발달하면서 누군가는 더 편하게 돈을 벌게 되었지만, 더 많은 노동자는 일자리를 잃었다. 앞으로도 더 많은 이들이 일자리를 잃을 것이다. 더 편해진 세상은 이렇게 더 많은 이들의 아픔과 희생으로 유지되고 있다.

'혼침(惛沈)'이란 말이 있다. 몸과 마음을 무겁게 하고 침울하게 하며 무기력하게 하는 마음의 작용이다. 그냥 가만히 있다가 혼자서 아무 이유 없이 혼침으로 힘들어하진 않는다. 어쩌면 아집 가득한 이 세상이 우리를 혼침에 빠져 무기력하게 만들고 있는 것인지 모르겠다. 노력보다 더 중요한 배경, 누구의 자식이고 어느 대학을 나왔는가가 노력보다 중요한 세상, 결국 가지지 못한 이들은 아무리 노력해도 힘겹기만 한 세상, 바로 이 세상이 우리를 혼침으로 힘들게 하는 것은 아닌지 모르겠다. 죽으라 노력해서 번 시급(時給)으로, 죽으라 애쓴 그 월급(月給)으로 미래를 준비하기는커녕 지금 당장 살아가기도 힘든 이 세상이 우리를 침울하고 무기력하게 하는 것은 아닌지 모르겠다. 죽으라 노력해도 결국 누군가의 더 편한 세상을 위해 쓰이다 버려지는 존재가 되는 것은 아닌지 모르겠다. 그러니 가난하고 힘없는 이에게 혼침의 힘겨움은 그냥 일상의 모습인지도 모르겠다.

혼침의 힘겨움에서 홀로 벗어나 힘내라는 말, 참 잔인하다. 어찌 홀로 벗어나겠는가. 홀로 벗어날 수 없어 그리된 것을 말이다. 오늘도 이 짐이 참 힘겹기만 하다.

18. 계집(計執)

종교(宗教)도 철학(哲學)도 멀리서 보면 참으로 고상해 보이지만 가까이 다가가 보면 그렇지 않다. 너무나 많은 이를 죽이도록 만들었고, 또 서로 다투도록 만들었다. 그것이 종교이고 철학이다. 서로 다른 생각의 차이가 곧 죽음과 미움의 이유가 되도록 만들어 버린 것이 바로 종교이고 철학이다. 고상해 보이지만 사실 매우 고상해 보이는 '잔인한 악마'다. 모든 종교는 사랑과 자비(慈悲)를 이야기한다. 거의 모든 철학이 정의를 이야기한다. 그런데 막상 현실 속에선 저주(咀呪)와 갈등(葛藤)을 만들었다.

저마다 자기 자신 속 자신의 답만을 정답(正答)이라 고집한다. 그러면서 남의 답은 오답(誤答)이라 확신해 버린다. 자신의 답만이 천국으로 가는 정답이고 남의 답은 지옥으로 가는 오답이란 말이다. 이 생각에 남의 이야기를 듣지 않았다. 들어도 어차피 지옥에 갈 사람이라며 낮추어 들었다. 그러니 서로의 이야기에 귀를 기울인다면서도 마음을 기울이지 못했다. 마음은 그저 자신의 답 속에서 남의 답을 오답이라 여기는 오만(傲慢) 속에 있을 뿐이었다. 그러니 사실 귀조차도 제대로 기울이기 어려웠을 것이다. 자기 답 속에서만 생각하고 살아간다면, 아집(我執)은 자연스러운 것이다. 아집이 자연스러운 그런 삶에서 종교가 다르면 죽어야 하는 이유가 되고, 철학이 다르면 조롱해야 할 이유가 되었다. 그렇게 종교와 철학은 세상의 독이 되어갔다.

'계집(計執)'이란 말이 있다. 있지도 않은 법(法)을 두고 그것이 있다고 고집하는 것을 두고 부르는 말이다. 모두에게 하나인 그런 법이 있을까? 많은 종교는 자기 자신의 법이 바로 그러한 법이라 고집했다. 그러니 그 고집 속에서 타인의 법은 오답일 뿐이었다. 사라져야 할 그 무엇일 뿐이었다. 그런데 정말 그런가? 생각이란 저마다 살아가는 환경 속에서 만들어진다. 지혜(智慧)란 것도 그 생각 속에서 만들어진다. 그러니 지혜란 것도 저마다 다른 환경 속에서 서로 다를 수 있다. 이 땅에서 지혜로운 것이 다른 환경의 다른 곳에선 지혜가 아닐 수 있다. 그것이 세상의 이치다. 그러니 법도 다르다. 다른 것이 당연하다. 그것이 세상의 이치다. 지구 어느 곳에선 속옷조차 입지 않고 남녀가 서로 웃으며 잘 지낸다. 우리와 너무나 다른 관습과 윤리로 너무나 잘 지낸다. 정말 우리와 너무나 다르지만 너무나 잘 살아간다. 그런데 그들의 삶을 오답이라 할 수 있을까. 수 만 년 이어온 그들의 삶을 과연 누가 오답이라 무시하고 조롱할 수 있을까. 수 만 년 이어온 그들의 종교와 신앙을 지옥행 오답이라 부를 자격이 누구에게 있을까. 어쩌면 종교는 계집 속에서 악마가 되어갔는지 모른다. 자기 자신의 법을 모두의 법이라 고집하면서 악마가 되어갔는지 모른다. 있지도 않은 법을 두고 있다며 고집하면서 악마가 되어 갔는지 모른다. 서로 무시하고 다투고 죽이게 하는 악마가 되어 갔는지 모른다.

나와 다른 이는 당연히 나와 다른 답으로 살아간다. 그에겐 그의 길이 있고 나에겐 나의 길이 있다. 더는 악마가 되지 말자.

19. 안양(安養)

‘천국(天國)’이 하늘에 있지 않듯 ‘서방정토(西方淨土)’ 역시 서방에 있진 않을 것이다. 어떤 물리적이고 구체적인 곳에 있진 않을 것이다. 그리고 이는 분명한 사실이다. 하늘을 아무리 찾아도 그리고 서쪽을 아무리 찾아다녀도 우린 천국과 서방정토를 찾진 못할 곳이다. 사실 이 정도는 누구나 아는 이야기다. ‘정토(淨土)’란 부처가 사는 곳이다. 그리고 그 말의 뜻은 ‘깨끗한 곳’이란 말이다. 그렇다면 부처는 ‘깨끗한 곳’에 산다는 말이 된다. 도대체 무엇에서 깨끗한지 그것이 참 중요하겠다. 그것만 내 삶에서 치운다면 내가 사는 바로 여기도 부처가 산다는 그 ‘깨끗한 곳’이 될 것이니 말이다. 내가 사는 여기도 ‘정토’가 될 것이니 말이다.

‘부처’는 ‘깨달은 자’란 말이다. 그는 무엇을 깨우친 사람일까? 바로 우리의 아집(我執)이 우리를 힘들게 한다는 것이다. 바로 그것을 깨우친 사람이다. 우린 태어나 늙고 병들고 죽는다. 이것은 살아있는 것의 가장 자연스러운 모습이다. 아무리 대단한 사람이라도 이 자연스러움에서 벗어나지 못한다. 그런데 이 자연스러움으로 힘들어한다. 괴로워한다. 그러면 그 삶이 괴롭다. 영원히 나의 것은 없다. 나 자신도 나 자신의 것이 아니었다. 우주의 편에서 생각하면 내가 없던 시간은 수십 억 년이며, 그동안 나의 없음은 당연했다. 아주 잠시 살다 죽는다. 그 이후 수십억 년 동안 나의 없음은 또 당연해질 것이다. 그리고 그렇게 우주의 편에서 생각하면 나란 존재는 없던 것이 더 오랜 시간 더 당연했었고 앞으로 당연해질 것이다. 이 세상 전부일 것 같은 나란 존재도 결국 그렇다. 지구도 우주의 편에선 먼지이고, 나란 존재는 그 먼지의 먼지와 같은 존재다. 그것이 우리의 있는 그대로의 모습이다. 영원하지 않으며 정말 별것 아닌 먼지의 먼지와 같은 존재다. 그런데 이 먼지의 먼지와 같은 아무것도 아닌 나란 존재가 무엇이 더 좋고 무엇이 더 나쁘다며 나누고 더 좋은 것은 더 많이 가지기 위해 싸운다. 더 높은 곳으로 올라가기 위해 싸운다. 더 강해지기 위해 싸운다. 참 웃긴 이야기다. 결국 아무것도 아닌 먼지의 먼지인 존재인데 말이다. 천국이 정말 하늘에 있는 줄 아는지 교회나 성당은 하늘 높은 줄 모르고 올라간다. 그리고 그 먼지의 먼지들끼리 만든 교리를 들고 서로가 지옥 갈 이들이라며 싸운다. 어찌 보면 바로 그 자리가 지옥이다. 아무것도 아닌 것들이 서로 저주하며 싸우는 바로 그 자리가 지옥이다. 더 좋고, 더 높아지고, 더 강해지고 싶은 마음, 그 마음이 지옥을 만든다. 아집이 여기를 '지옥'으로 만들고 나를 '마구니(魔仇尼)'로 만든다. 불안하게 하고 아프게 하고 또 싸우게 한다. 심지어 그 마음을 가지고 신을 찾아 자신이 남을 이기고 더 많이 가지고 더 높게 올라가며 더 강하게 만들어 달라 기도 한다. 참 서글프다. 신에게 이곳은 더 지옥으로 만들어 달라하고 자신은 더 나쁜 마구니로 만들어달라 한다. 참 서글프다.

부처는 바로 이 서글픔이 무엇인지 깨우쳤다. 어찌 그것을 사라지게 할지를 깨우쳤다. 아집, 바로 그것만 버리면 그 많은 괴로움이 사라진다는 사실을 깨우쳤다. 정토는 바로 그 아집이 없는 곳이다. 아집으로부터 깨끗한 곳이다.

'안양(安養)'이란 말이 있다. 흔히 '극락(極樂)'이라 부리기도 하고 '정토'라 부르기도 하는 곳이다. 마음을 안정시켜 자기 자신을 돌아볼 수 있는 곳, 그렇기에 진정 참된 것을 받아 드릴 수 있는 곳, 바로 그곳을 안양이라 한다. 있는 그대로를 마주 할 수 있는 곳, 나 자신이 먼지의 먼지이며 아무것도 아니란 사실을 깨우친 곳, 아집이 깨끗하게 치워진 곳, 바로 그곳이 안양이다. 그렇다면 아집에서 벗어난 내 마음, 그 마음으로 살아가는 나, 바로 이것이 안양이고 그 가운데 다시 태어난 극락왕생(極樂往生)한 '나'라고 하겠다.

안양, 결국 내 아집에서 벗어난 바로 그곳이구나 싶다.
그 마음이 바로 정토구나 싶다.

20. 성법(聖法)

어린 시절 나는 교회를 다녔다. 그래서인지 '성경'을 참 많이 읽었다. 아버지와 내 마음이 드는 '성경'을 찾아 구하기 위해 대구 곳곳의 기독교 서점을 다녔던 기억이 난다. 승용차가 없던 집이라 아버지의 자전거 뒤에 앉아 그렇게 서점 여기저기를 돌아다녔다. 그렇게 산 성경책은 이후 내가 집사가 될 때까지 나의 가장 가까운 벗이었다. 언젠가 <요한복음서>의 한 부분을 거의 다 암기하기도 하였다. 몇 장까지 암기하였는지 기억나지 않지만, 그리고 왜 그리하였는지 모르겠지만, 그냥 '성경'의 구절을 참 많이 좋아하고 가까이에 두었다. '성경'의 원래 말이 궁금해 아무도 권하지 않았지만 스스로 헬라어 교재를 사 공부하기도 하였으니 말이다.

어느 날 교회에 큰 싸움이 났다. 서로 물풍선 폭탄을 던지고, 듣기 민망한 욕으로 저주하였다. 서로를 악(惡)이라면서 말이다. 참 서글프게도 그들의 손엔 하나 같이 '성경'이 들려있었다. 그 이후 손에 성경을 든 목사의 민망한 일들은 여기저기에서 직접 보았다. 가톨릭교회를 다니게 된 이후, 성당 사람들 역시 교회 사람들과 다르지 않았다. 교리대로 기도문을 외우고 미사에 참석

하고 성경 말씀을 묵상한다지만 그리 어렵지 않게 참 서글픈 광경을 보곤 하였다. '성경'을 읽는다는 게 무엇일까? 고민이 들었다. 불심이 대단하다는 어느 사장님은 직원에게 참 나쁜 사람이었다. 마음에 상처 주는 이야기를 아무렇지 않게 했다. 그리곤 불교 방송에 나오는 불경 풀이 방송을 보면 깊은 묵상에 잠기곤 했다. '불경'을 읽는다는 게 무엇일까? 항상 <논어>와 <중용> 그리고 <대학> 등을 가까이에 두며 나에게도 권하던 어느 할아버지는 입에 욕을 달고 살았다. 조금이라도 자기 자신의 생각과 다르면 참으로 독하게 훈계하였다. 우선 그의 앞에선 잘못했다고 말하지만 돌아서 아무리 생각하고 생각해도 무엇이 잘못인지 모를 그런 시간이 참 많았다. 과연 유교의 경전을 읽는다는 것은 무엇일까?

'성법(聖法)'이란 말이 있다. 말 그대로 성현 혹은 성자(聖者)의 법(法) 혹은 가르침이란 말이다. 어떤 종교인가를 떠나 많은 성법이 담긴 경전이 있다. 그 경전은 우리에게 구체적인 답을 지시하고 강요하는 책이 아니라, 혹은 구체적인 답을 우리에게 암기하라 하고 그렇게 살라고 명령하는 것이 아니라, 우리에게 시금 질문하는 것은 아닐까 그렇게 생각해 본다. 아니, 우리가 고전(古典)이라는 책들은 바로 그러한 책이 아닐까. 이렇게 살라고 구체적인 답을 내리고 그것을 강요하는 것이 아니라, 우리에게 이런저런 참고할 만한 이야기를 하곤 지금 너의 그 상황에서 너는 어떻게 행동할 것인지 질문하는 것은 아닌가 말이다. 그 질문에 대한 답, 그 답은 저마다 다를 수 있고, 서로 다른 조건에 따라 다르게 될 수 있다. 오답에서 정답으로 이동하는 게 아니라, 이런저런 상황에서 궁리한 정답에서 또 다른 상황에서 궁리한 정답으로 이동하는 것이라 믿는다. 그 가운데 어느 하나도 오답은 아니다. 굳이 오답이 있다면 그것은 자기 아집(我執) 속에서 만들어진 답, 바로 그것일 것이다.

경전과 고전은 우리에게 지식을 전하는 글이 아니다. 그 오랜 과거의 지식은 많은 경우 더는 유용한 지식이 아니다. 그러나 지혜는 다를 수 있다. 과거 의학책이 나오는 지식으로 지금 우리를 치료하진 못한다. 한다 해도 지금 의술을 따라가지 못한다. 그러나 과거 고전 속 지혜는 다르다. 그 지혜는 우리에게 여전히 유용한 질문을 던진다. 그리고 우린 정말 제대로 그 경전과 고전을 읽었다면 그 질문에 대한 나름의 답을 가지게 될 것이다. 그리고 그렇게 살아갈 것이다. 성경, 불경 그리고 유교 경전을 아무리 많이 읽어도 그 내용을 암기하고 배워도 그 질문에 자기 답이 없다면, 결국 자기 아

집 속에서 만들어진 삶을 살 뿐이다. 성법, 오늘 경전
이나 고전을 읽는다면 그 질문을 두고 고민해 보자. 참
고마운 시간이 될 것이다.

21. 숙업(宿業)

기억하지도 못하는 수많은 지난 과거들이 나를 이룬다. 기억하지도 못하는 지난 과거들이라 지금도 어쩌면 의식하지 못한다. 참으로 독한 말을 하는 이가 있었다. 교회를 열심히 다니는 사람이었지만 사랑이나 자비니 이런 것을 듣긴 힘들었다. 하는 말 대부분이 조롱과 무시의 언어였다. 나의 앞에서 나의 욕을 한 것은 아니지만 듣고 있기 참 힘들었다. 절을 열심히 다닌다는 다른 이도 크게 다르지 않았다. 아집(我執) 가득한 말에 독선(獨善)으로 가득한 삶은 사람은 참 힘들게 만들었다. 나도 그럴 수 있다. 나의 말이 누군가에게 아픔이 되고 또 다른 누군가에게 힘겨움이 될 수 있다. 조심하고 조심해야 한다. 자신도 모르는 사이 자신은 독(毒)이 되어간다. 남을 아프게 하고 남을 힘들게 하는 독 말이다. 그리고 어느 순간 그 독은 자식은 죽여갈 것이다.

자신의 힘을 거친 말로 드러내는 이들이 있다. 이 정도는 별것 아니라며 농담처럼 던진 말에 누군가는 매우 아프고 힘들 수 있다. 분위기를 좋게 하려 누군가를 조롱하는 나쁜 언어로 사람들에게 웃음을 주는 이도 있다. 그 웃음이 비웃음이 될 수 있음을 기억해야 한다. 거친 말로 자신의 강인함을 보이고 비웃음으로 분위기를 좋게 만든다는 이들의 그 모습은 충분히 폭력이 될 수 있다.

'숙업(宿業)'이라는 말이 있다. 지난 삶의 선한 업(業)과 악한 업을 두고 하는 말이다. 내 지금의 힘겨움은 내 과거의 기억도 못 하는 그 악업들, 누군가를 조롱하고 무시하는 언어의 악업이 만든 자연스러운 결과일 수 있다. 일상이 되어 버린 악업이 만든 자연스러운 결과일 수 있다. 상한 씨앗에서 새 생명을 기대하기 어렵듯이 그렇게 악한 지난 업에서 좋음이 이어지기 어렵다.

지난 내 삶은 이제 어찌하겠는가. 문제는 지금이다. 지금 내 일상 속 악업을 멈추어야 한다. 거친 언어로 아프게 하지 말고 조롱의 언어로 슬프게 하지 말고 비웃음으로 힘겹게 하지 말자. 내 힘겨움을 독한 말로 남에게 풀지 말고 내 분노를 잔인한 말로 남에게 풀지 말자. 어쩌면 일상 속 녹아든 이 모든 악업이 어느 순간 그대의 영혼을 아프게 하는 독이 되어 돌아올 것이다. 그러니 지금이라도 이 악한 업에서 벗어나자. 그리고 더불어 웃는 말로 서로를 안아주자. 다른 생각, 다른 의지, 다른 종교, 다른 정치관 ... 이 모든 차이에도 불

구하고 서로 아프게 하지 말자. 결국 그 모든 악업이 독이 되어 돌아올 것이니 말이다.

22. 색탐(色貪)

눈에 보이는 모든 것은 결국 사라진다. 나 역시 눈에 보이는 것이니 사라질 것이다. 태어난 모든 것은 사라지고 아무것도 아닌 것이 된다. 어쩌면 이 당연한 상식을 피하기 위한 오랜 시간 그 많은 종교와 철학이 어렵고 복잡한 이 세상 밖의 이야기를 그리고 길게 했는지도 모른다. 하지만 결국 모든 것은 사라진다. 이것이 진리(眞理)다. 길고 긴 어떤 학설도 결국 우주를 잠시 머물다 사라지는 존재의 또 다른 잠시일 뿐이다. 그것을 넘어서지 못한다. 결국 모두는 사라진다. 어쩌면 더는 무엇도 존재하지 않은 절멸(絶滅)의 세상이 올지 모른다. 어쩌면 그런 절멸의 세상이 당연한 세상일지도 모른다. 나 없던 길고 긴 시간, 나의 없음은 당연했고 나 없을 길고 긴 시간, 나의 없음 역시 당연할 것이다.

모든 것은 결국 사라진다는 이 당연한 이치를 피하지 않으면 세상은 참 고요해진다. 굳이 무엇을 욕심낼 필요가 없다. 그 욕심의 주인인 나도 그 욕심의 대상인 그 무엇도 결국 사라지고 말 것이다. 나의 자식도 그 자식의 자식도 결국 다르지 않다. 모든 존재는 소멸 앞에 가능한 그 무엇일 뿐이다. 자식에게 물려주기 위한 애씀도 결국 모두 헛일이다. 오히려 치열하게 산다며 소유욕(所有慾)의 삶을 가르친다면 자식에게 독한 전염병(傳染病)을 전하는 것일지 모른다. 아집(我執)이란 병 말이다. 이기고 살라는 말, 지지 말라는 말, 무서운 말이다. 이겨도 더 높이 올라가고 더 많이 소유한다고 행복하지 않다. 오히려 그 아집 속에서 혹시나 무너지고 빼앗길까 미래가 두려울 수 있고, 그 아집 속에서 살아가기 위해 위선적 존재가 될 수 있으며 아집 속에서 독해지고 독해져 남에게 독(毒)이 될 수도 있다. 자기 자신에게 독이면서 말이다.

'색탐(色貪)'이란 말이 있다. 색계(色界)의 사물에 대한 욕심을 두고 부르는 말이다. 참 무서운 욕심이다. 빠져들면 빠져들수록 더 큰 목마름으로 더 깊이 빠져들고 더 깊이 빠져들면 빠져들수록 더욱더 해결하기 힘든 상황에 이르게 된다. 병(病)이다. 몸을 죽음에 이르게 하진 못해도 그 마음을 죽음에 이르게 하는 병이다. 자연히 평화롭게 사라지는 게 너무나 당연히 사라질 존재에게 가장 좋은 건강한 삶의 모습이다. 아집 속에서 조금이라도 더 가지기 위해 애쓰며 치열하게 자신과 남에게 독이 되어가며 괴롭게 살다 죽는 것이 불행이다. 색탐은 그 불행의 이유다. 그 병의 원인이다. 지금도 버릴 것이 많다. 버리고 또 버린다. 기억하자. 결국 나는 아무것도 아니며, 나의 존재 자체도 때가 되면 자연히 사라질 것이다. 이 당연한 진리 앞에 가장 자연스러운 삶은 버리고 버리며 나누고 나누며 살아가는 것이다. 그것이 어쩌면 가장 건강하게 살다 사라지는 것이 아닐까 싶다.

23. 택법(擇法)

우리의 마음은 그저 암기(暗記)하여 익히는 힘만 가진 것이 아니다. 사상사(思想史) 가득한 그 많은 철학(哲學)과 신학(神學)은 모두 새롭게 생산된 것이다. 아무리 사소해 보여도 누군가 일생을 두고 고민하여 능동적으로 만든 것들이 사상사 가득한 철학이고 신학이다. 조선의 성리학자 이황(李滉, 1501~1570)은 중국 철학자의 철학은 달달 암기하고 간략하게 요약한 인물이 아니다. 비록 중국 철학자의 철학에 영향을 깊이 받았지만, 그의 시대 그의 고민 속에서 궁리 되며 그의 철학으로 능동적으로 만든 철학자다. 철학과 신학의 삶은 그렇게 이루어져 간다. 앞선 답을 궁리하고 수정하고 바꾸고 버리고 채우면서 그렇게 이루어진다. 한때 최선의 답은 다른 시대 또 다른 답이 되어야 한다. 이것은 우열의 문제가 아니라, 서로 다른 조건 속에서 서로 다른 답이 요구된 것이다.

철학, 어느 순간 철학은 누군가의 철학을 치열하게 분석하고 따지는 것일 뿐, 그 이상은 아닌 것이 되었다. 자신이 전공하는 철학자와 신학자의 답만을 정답이라 고집하고 그 정답에 감탄하며 자신이 전공하는 철학자와 신학자를 향한 찬양의 소리를 높인다. 마치 그 철학자와 신학자의 사상을 모르면 무척이나 무지한 사람이라도 되는 듯이 조롱하는 것은 당연한 무엇이 되어 버렸다. 자신이 전공한 철학자와 신학자의 귀신을 자기 자신에게 불러 접신(接神) 하려는 것인지, 자신이 전공한 철학자와 신학자를 자기 자신의 정체성과 동일시해 버린다. 그리고 그 철학자와 신학자에 대한 태도를 자기 자신에 대한 태도라도 되는 듯이 반응한다.

접신은 수동적 행위다. 자기 것을 만드는 게 아니라, 자기 자신을 지우고 남으로 자신의 존재를 내어주는 행위다. 결국 철학과 신학에 관한 애씀은 자기 철학과 신학을 만들어가는 여정이어야 한다. 그것 없이 누군가의 사상을 소리치는 일을 두고 철학이나 신학에 관한 애씀이라 하진 않는다. 그것은 철학자의 일이 아니다. 이미 자신이 추종하는 특정 철학자의 철학이 있으니 철학을 한다는 말보다는 그 철학자의 광고지를 들고 다니는 사람이라 보는 것이 정확하겠다. 어쩌면 우리 철학과 신학은 이와 같다. 수동적인 존재들이 자기 자신에게 접신 한 철학자와 신학자의 분신(分身)이 되어 자기 답이 답이라며 타인을 조롱하고 있단 말이다.

'택법(擇法)'이란 말이 있다. 모든 법을 살펴 '참된 것'

과 '거짓된 것'을 판별하는 것 혹은 '선한 것'과 '악한 것'을 판별하는 것, 그리고 그렇게 판별된 것 가운데 '거짓된 것'과 '악한 것'을 버리고 , '참된 것'과 '선한 것'을 취하는 것이 바로 택법이다. 택법이 되기 위해선 스스로 자기 생각의 주인이 되어야 한다. 이미 누구의 답이 정답이라 고집하는 이에게 택법은 불가능하다. 이미 어느 철학자와 신학자의 답만을 고집하는 이에게 택법은 불가능하단 말이다. 스스로는 택법이라 해도 사실은 그저 고집을 부리는 것이다.

참되고 선한 지혜는 남의 분신이 되어 이루는 것이 아니라, 스스로 자기 생각의 주인이 되어 버리는 것이다. 어찌 보면, 이 당연함이 아쉬울 때가 있다.

24. 탐착(耽著)

더 큰 집과 더 유명 자동차에 집착(執着)한다. 그것을 가지게 되면 남에게 드러나 보이기 때문이다. 같은 건설사의 같은 아파트인데도 값이 같지 않다. 더 좋은 학군이며, 더 많은 부자가 사는 더 비싼 동네의 아파트가 더 비싸다. 그리고 사람들은 더 그곳에 살고 싶어 한다. 그것에 살 돈이 없으면 조금이라도 그 비슷한 곳에 살려 한다. 그렇게 사람들은 은근히 서로를 나눈다. 더 높고 더 낮은 사람으로 나누고 더 강하고 더 약한 사람으로 나눈다. 그리고 은근히 무시(無視)하고 차별한다. 자신이 어디에 사는지 자랑하며 부러워하는 이의 시선을 즐긴다. 원래 아무것도 아닌 우주의 먼지와 같은 존재들이 서로를 나눈다. 우주의 역사에서 보면 찰나(刹那)의 순간을 사는 이들이 서로를 나눈다. 그리고 못된 기쁨을 즐긴다.

어느 대학에서 공부했다 말하는 것이 그저 출신 대학을 말하는 게 아닌 사회를 산다. 어느 동네에 산다고 말하는 것이 그저 사는 곳을 말하는 게 아닌 사회를 살고 있다. 그사이에도 차별이 존재하고 폭력이 존재한다. 나의 벗은 중학교를 나왔다. 고등학교를 졸업하지도 못했고 당연히 대학을 나오지도 못했다. 그러나 조금도 나쁘지 않은 벗이다. 어린 시절부터 최선을 다해 식당에서 일했고, 지금도 힘들지만, 너무나 열심히 살아간다. 그러나 그는 중졸이다. 중졸이란 말, 그 말은 그저 중학교를 졸업했다는 말 그 이상의 무엇을 의미한다. 그 가운데도 차별이 존재하고 폭력이 존재한다. 고등학교 시절, 부동산 이야기를 하던 선생이 나에게 어린 시절 살던 동네를 물었다. 나는 답했다. 그러자 선생은 나를 판자촌에 살던 아이라고 했다. 틀린 말은 아니지만, 비록 사실을 말했지만, 모든 반 친구들이 듣는 자리에서 지리 선생의 그 농담은 나에게 폭력이었다. 그렇게 그 선생은 나를 친구들과 나누었다. 그것은 그저 사실을 말하는 것이 아닌 잔혹한 폭력이었다.

'탐착(耽著)'이란 말이 있다. 그릇된 것에 집착함을 두고 하는 말이다. 학벌에 집착하면 자신도 힘들고 남도 아프게 한다. 어디에 사는가에 집착하면 그 역시 자신도 힘들고 남도 아프게 한다. 자신의 존재 자체가 남에게 괴로움의 이유가 될 수 있단 말이다. 우리 사회 전체가 탐착에 빠져있다. 학벌에 집착해 그것으로 자신을 드러내고 남을 무시한다. 부동산에 집착해 그것으로 자신을 드러내고 남을 무시한다. 그리고 사람을 나눈다. 그리고 나쁜 기쁨을 누린다. 그리고 그것을 누리기 위해 공부하고 일한다. 찰나의 순간을 살다 사라지는 우주의 먼지와 같은 존재가 그렇게 서로를 나누고 서로를 아프게 한다. 탐착, 지금이라도 벗어나야겠다.

25. 통달(通達)

어린 시절 일이다. 아는 형님은 대단한 사람이었다. 같이 산을 걸으면 무엇이 먹을 것이고 무엇이 먹지 못할 것인지 바로 알았다. 어디 그뿐인가? 이것은 몸 어디에 좋고 저것은 먹으면 어디에 좋은데 이런저런 문제점이 있다는 것도 알았다. 그저 산 그 자체가 재미나고 신난 나에게 형님은 대단한 사람이었다. 종종 형님을 따라 산속 같은 굴 같은 곳을 찾아가면 왠지 기분이 무척 좋았다. 마치 산속 깊숙이 들어가 산속 그 무엇이 된 것 같아서 말이다. 지금은 기억이 나지도 않는 이런저런 열매들도 참 맛있었다. 나에게 형님은 그 산에 대하여 모르는 것이 없는 사람이었다. 형님의 도시 생활은 참 슬펐다. 도시에 제대로 적응하지 못했고 그 형님은 다시 산으로 돌아갔다. 도시에서 만난 이런저런 사람들은 그 형님에겐 산속 고마운 풀보다 못한 독이었던 모양이다.

어린 시절부터 산 아래 집에서 산을 놀이터로 일터로 삼은 형님에게 산 없는 도시는 참 힘들었다. 그 형에게 산은 등산하며 좋은 공기를 즐기고 아름다운 경치를 감상하는 대상이 아니다. 그 형님에게 산은 그냥 벗이었으니 말이다. 벗 없이 도시 생활이 얼마나 힘들었을까. 서로의 욕심을 두고 서로 더 많이 가지려 따지는 도시 생활이 그 형님에겐 독초(毒草) 사이의 삶처럼 느껴졌을 것이다.

'통달(通達)'이란 말이 있다. 말 그대로의 뜻은 막힘없이 통함이다. 거침없이 숙달해 버렸다는 말도 되겠다. 그 형님은 어쩌면 자신의 벗인 산을 통달했을지 모른다. 그 산 역시나 형님을 통달했을지 모른다. 서로를 구석구석 모르는 것이 없이 알고 있었을 것이다. 그렇게 산에 통달해도 아집 가득한 사람들이 살아가는 세상에 통달하긴 쉽지 않았던 모양이다. 아집의 세상은 서로를 이용하는 게 당연하다. 더 많이 얻고 더 높이 올라가려는 것이 당연하다. 산은 벗이 아닌 매매의 대상이고 투자의 대상이다. 사람 역시 다르지 않다. 사람 역시 돈으로 평가받는다. 얼마를 벌거나 가진 사람으로 말이다. 그 형님은 산을 계산하지 않았고 그 산도 형님을 계산하지 않았다. 항상 필요 이상으로 가져가지 않았다. 산 역시 그 형님에겐 예의를 다 해야 하는 주체적 존재였다. 하지만 아집의 세상에선 이 모든 것이 그냥 동화 속 이야기다. 이용당하고 당한 만큼 이용하는 것, 서로서로 계산기를 들고 자기 이득을 따지는 공간이란 말이다.

불교의 말 가운데 '선혜(善慧)'라는 말이 있다. '착한 지혜' 혹은 '바른 지혜'란 말이다. 제대로 된 통달이란 바로 이러한 것이라 한다. 아집 속에서 서로를 이용하는 비법이 아니라, 착한 지혜란 말이다. 아집에서 벗어나 산을 보면 산은 그냥 산이다. 산을 산으로 보는 경지에 이르기 어렵다 해도 적어도 산을 자기 욕심을 이룰 대상으로 보지 않는 것이 산을 향한 선혜다. 산을 통달함이다. 남을 이기고 남의 앞에 서는 것이 아니다. 이 세상을 통달한 것처럼 느껴지지만 결국 아집이란 주인의 종이 되어 버린 것에 지나지 않는다. 산과 더불어 살던 그 형님의 그 마음이 그리워지는 요즘이다.

26. 법집(法執)

가문(家門)이니 혈통(血統)이란 것이 있을까? 과거 많은 사람은 성씨가 없었을 거다. 신분제 사회에서 천한 신분의 사람이었을 것이니 말이다. 그러나 지금 모든 이들이 성씨를 가지고 있다. 아마 조선 후기 역사의 혼탁한 흐름 속에서 성씨 없던 이들도 성씨를 가지게 되었을 것이다. 어쩌면 지금 자신의 성씨를 자랑스럽게 여기는 이도 생물학적으로 따지고 들면 혼탁한 역사의 흐름 가운데 원래 없던 성씨를 가지게 된 아무개의 후손일지도 모른다. 누구누구를 자신의 조상이라며 자랑스럽게 여기지만 사실 생물학적으로 자신의 조상이 아닐지 모른다. 그런데 그 모든 게 무슨 소용인가 싶다. 한때 성씨를 사기도 하고 팔기도 했다. 주인집 성씨를 받은 노비들도 제법 많다. 그렇게 이제 세월이 많이 지났다. 그러니 지금에 와서 그것이 무엇인가 싶다. 설령 혈통이란 것이 있다 해도 상황은 달라지지 않는다. 그것이 무슨 소용인가 싶다. 같은 집 같은 형제자매라도 아주 많이 다른 경우를 많이 보았다. 굳이 교집합을 찾으려 애쓰는 그렇지 남이라면 아예 남이라 보아도 좋을 만큼 다른 경우도 아주 많다. 인류의 그 오랜 역사 속 우리가 혈통으로 누군가와 나를 나눈 지가 얼마인가? 그 긴 역사에서 보면 찰나에 지나지 않는다. 그런데 찰나의 순간 만들어진 거로 우린 서로를 구분하고 그 정체성으로 살아간다. 죽어 큰 무덤을 만들고 많은 돈을 들여 가꾼다. 가문과 혈통의 명예를 위해 말이다. 자신이 양반이었다는 이야기를 자손에게 하며 말이다.

종교는 어느 종교 이론가의 이론을 답이라며 무리를 지어 뭉친다. 그리고 그 뭉친 무리에 이름을 하나 붙이곤 그것으로 자기 정체성으로 삼아 그 이론의 틀 속에서 신을 향한다. 화려한 전례(典禮)와 의복으로 자기 교리의 정통성을 과시하기도 하고, 고집하기도 하면서 말이다. 우주란 거대한 전체에서 보면 하나의 작은 먼지의 먼지에 지나지 않는 사람이 자기 아집 속에서 만들어진 그 작디작은 이론을 가지고 우주 보편의 법칙이라 고집한다. 신조차도 그 법칙에서 벗어나지 않는다는 교만(驕慢)을 부리며 온갖 숭고한 언어로 자기 신앙을 치장하며 신앙의 삶을 살아간다.

'법집(法執)'이란 말이 있다. 있는 모든 것이 각기 자신의 실체적 자아가 있다고 여기며 집착하는 것을 두고 부르는 말이다. '아집(我執)'이란 말이다. 가문이란 것도 실체적 자아가 있다며 그것에 집착한다. 종교적 이론과 교파(敎派)도 그것에 실체적 자아가 있다고 여기며 그것에 집착한다. 그 집착 속에 아집이 생기고 그 아집 속에 현실은 보이지 않는다. 그 아집에서 벗어나 참 세상을 보면 보시(普施)해야 할 곳이 보인다. 더불어 아파해야 할 곳이 보인다. 나누어야 할 곳이 보인다. 죽은 이를 위한 비싼 장식보다 아파 힘겨운 이의 눈물이 보이고 자기 교파만이 답이라며 주장하는 그 주장 속에 자신의 아집과 이기심 그리고 잔인함이 보인다.

해탈(解脫)이란 벗어남이다. 텅 빈 곳에 만든 실체적 자아의 허상에서 벗어나는 것, 그렇게 아집에서 벗어나는 것, 자기 자신을 온전히 모두를 위한 거름으로 내어놓는 것, 그것이 아닐까 생각해 본다.

27. 견혹(見惑)

똑똑해도 삶은 쉽지 않다. 힘들다. 똑똑하다고 삶의 모든 문제에서 벗어나는 건 아니다. 결국 슬기로워야 한다. 결국 '슬기'가 우릴 행복하게 한다. 쓸모없는 욕망에서 우리를 자유롭게 한다. 모든 것이 사라진다는 것, 사실 우리가 믿고 따르는 모든 것이 사라진다는 것, 그 어떤 것도 우리를 영원하게 하지 못하고 우리를 구제하지 못한다는 것, 바로 그것을 알아야 한다. 그냥 아는 게 아니라 그 앎이 삶이 되어야 한다. 그러면 자연히 집착하지 않는다. 아집에서 멀어진다. 무엇이 되려는 마음도 사라지고 무엇을 가지려는 마음도 사라진다. 무엇을 죽이려는 마음도 사라지고 무엇을 품으려는 마음도 사라진다. 그냥 있을 뿐이다. 무엇이 되려는 욕심으로 있는 게 아니라 그냥 있을 뿐이다. 아무것도 아닌 거로 그냥 있을 뿐이다. 그게 해탈이고 그로 인해 열반에 이른다.

속세를 피해 산에 올라 도(道)를 구한다. 그러나 속세는 산 아래에서도 벗어날 수 있고, 산 아래에서도 도를 구할 수 있다. 슬기의 자리는 산 위가 아니다. 슬기의 자리는 바로 여기다. 바로 내가 사는 여기다. 여기에서 온갖 욕심이 지배하는 바로 여기에서 그 악업의 사슬을 벗어나는 거다. 그게 진짜 출가(出家)다. 나 아닌 누구를 나보다 더 높고 낮음으로 보지 않고 그냥 그로 보는 것, 나 자신을 누구보다 더 높고 낮은 것으로 보지 않고 그냥 나로 보는 것, 저기 저 꽃잎이 그저 꽃잎으로 자기 삶을 살듯이, 욕심 없이 집착 없이, 그냥 꽃잎이듯이, 저기 저 잡초가 그저 잡초로 자기 자신의 삶을 살듯이, 잡초라 아파하지 않고 슬퍼하지 않고 말이다.

견혹(見惑)이란 말이 있다. 견도소단혹(見道所斷惑)의 줄임말이다. 도를 보던 삶에서 벗어나 버린 번뇌를 뜻한다. 슬기에서 벗어난 번뇌다. 괴로움이다. 다시 무엇을 더 가지고 무엇이 되고 싶은 속세의 삶으로 내려가 힘겨워짐을 의미한다. 그러나 자신이 견혹의 괴로움으로 아파한다는 것을 안다면 희망이 있는 거다. 그것을 안다면 그것을 벗어날 첫걸음은 한 것이니 말이다. 그것을 알지도 못하고 그 괴로움이 당연한 세상 삶이라 생각하고 살아가는 이들이 많으니 말이다. 견도의 괴로움, 슬기를 상실하고 사라질 것에 집착하는 괴로움, 오늘 나의 모습을 돌아본다.

28. 주올(株杌)

작은 화단에 꽃씨를 뿌리고 채소를 심었다. 그리고 매일 물을 주고 이런저런 것을 살핀다. 어느덧 그냥 나의 일상, 그 가운데 하나가 되었다. 어느새 심은 장미에서 꽃이 피고, 저마다 다른 크기와 모양의 씨앗이던 해바라기, 코스모스, 나팔꽃 등등의 여러 꽃씨가 싹이 되어 올라와 서로 다른 크기와 모양으로 자라고 있다. 보고 있으면 참 마음이 편하다. 종종 길고양이가 화단을 지난다. 마시라고 물을 두고 먹으라고 약간의 밥을 둔다. 종종 나의 화단 구석에 앉아 쉬기도 하고, 이젠 나를 보면 멀리 달아나지도 않는다. 그 역시 보고 있으면 참 마음이 편하다.

그냥 보고 있으면 좋다. 그냥 더불어 있는 듯하여 말이다. 내가 물을 주고 거름을 준다고 하여 그냥 받기만 하지 않는다. 꽃으로 나를 웃게 하고 싹으로 나를 평안하게 한다. 무엇이 잘못되어 마르면 내 마음도 편하지 않고 아프다. 그러니 그냥 보고 있으면 좋고 편한 것이 아니라, 더 정확한 것은 그냥 더불어 있으면 좋고 편하다. 엄청나게 많은 채소를 주지 않아도 된다. 장미꽃이 아주 많이 피지 않아도 된다. 그냥 그들이 있는 대로 그렇게 있으면 그만이다. 더는 바라지도 않고 바라지 않으며 실망하지도 않는다. 그냥 매일 더불어 있는 시간이 나에겐 명상의 시간이다.

주올(株杌)이란 말이 있다. 그냥 말 그대로는 경작에 방해가 되는 거다. 많은 수확을 위해 그냥 두면 안 되는 거다. 밭과 논 가운데 쓸모없이 놓인 나무 밑동이나 어디에도 쓸데없어 보이는 잡초의 밑동과 뿌리가 주올이다. 더 많은 걸 얻으려는 마음에 걸리는 것, 그것이 주올이다. 그것이 번뇌가 된다. 없애야 하는데 없애지 못하니 말이다. 그런데 없애려는 마음, 어쩌면 그 마음이 이미 주올일지도 모른다. 사람도 주올이 세상이다. 친구도 주올인 세상이다. 내 일에 방해가 되면 사라지길 바라는 주올말이다. 홀로 성공하길 바라는 이에게 더불어 살라는 말도 주올이다. 홀로 앞서 성공하기 바쁜 데 자신의 길을 막아서니 말이다. 그렇게 다 뽑아버리고, 잘라버리면 그냥 홀로 있다. 나는 그냥 매일 나에게 명상의 시간을 주는 화단의 친구들이 좋다. 잡초가 있어도 크게 도를 넘어서지 않으면 그냥 둔다. 자기도 살려는 것이니 그 삶의 치열함을 굳이 주올이라 여기며 죽이고 싶지 않다. 더 많이 수확하려는 마음이 없어 주올이 크지 않다. 주올이 없으니 그냥 더불어 있을 수 있다. 내가 그들을 보며 좋듯이 그들도 나를 보며 좋은, 서로 주올이 아닌 더불어 있음 속에서 나는 참 편하다.

29. 유쟁(有諍)

나의 생각과 욕심만이 정답이라고 살면 참 편해 보인다. 이런저런 고민 없이 그냥 그 정답 속에 살면 된다. 그런데 그렇게 살면 화와 조롱이 마음을 채운다. 자신의 정답과 다르면 조롱하고 때론 화를 낸다. 나의 생각과 욕심만 정답이라고 살면 다른 것을 보지 못한다. 그냥 그 마음에서 벗어나지 못하고 살아가게 된다. 그러니 어리석다. 다른 새로운 것을 볼 눈이 없으니 말이다.

한 친구와 어느 산의 경치에 관하여 이야기했다. 누구는 가을이 참 아름답다 하고 누구는 가을에 가보지 못했지만 여름도 아름답다 했다. 그런데 그 친구는 그곳에 유명 브랜드의 카페 하나를 차리면 돈을 잘 벌 수 있을 것이라 했다. 사람이 오가고 경치가 좋으니 말이다. 마음이 아파 힘든 시간을 보낸 친구 하나가 어느 신경정신과 의사의 치료로 많이 좋아졌다며 의사를 향한 고마움을 이야기하자 그 친구는 역시나 이젠 신경정신과가 돈이 될 것이라며, 자신의 아들이 신경정신과 의사가 되었으면 좋겠다 했다. 그 친구와의 대화는 거의 돈과 관련되어 대화로 끝이 난다. 그의 눈에 나는 돈도 제대로 벌지 못하는 어리석은 사람이다. 그럼에도 산구경을 다니는 철없는 사람이다. 그렇게 돈을 향한 그의 욕심은 그로 하여금 나의 소중한 지금을 조롱하게 하고, 또 산의 아름다움도 의사의 고마움도 보지 못하게 만들었다.

유쟁(有諍)이란 말이 있다. '쟁(諍)'을 가진다는 말로 그 뜻은 번뇌를 가진다는 말이다. 유쟁을 두고 흔히 탐진치(貪瞋癡)라 한다. 무엇을 이루고 가지려는 욕심의 마음이란 뜻의 탐욕심(貪欲心), 자기 욕심대로 되지 않으니 일어나는 분노의 마음인 진에심(瞋恚心), 욕심과 분노로 있는 그대로를 보지 못하는 어리석음의 마음인 우치심(愚癡心), 바로 이것이 탐진치다. 이 세 가지 마음을 두고 열반을 향한 길의 세 방해꾼이라 한다. 마음의 자유를 가로막는 마음의 방해꾼 말이다.

돈을 향한 욕심으로만 살아가니 모든 것이 돈이다. 가족과의 식사, 쉽지 않은 그 소중한 시간도 돈으로 계산한다. 그리고 자기 욕심대로 되지 않으니 화를 난다. 더불어 대화하고 식사하는 그 소중한 시간의 가치를 제대로 보지 못하는 거다. 자기 자식의 삶도 자신의 욕심대로 되지 않으니 화를 낸다. 결국 자신의 욕심 때문에 자신이 사랑하는 아이들이 살고자 하는 삶이 무엇인지 보지 못한 거다. 이게 번뇌 속에 살아가는 삶이다. 아무리 돈이 많고 아무리 큰 권력을 가졌다 해도, 이것이 바로 유쟁 속에서 괴로워하며 살아간다는 거다.

30. 진에(瞋恚)

무엇이 되고자 하면, 지금의 나는 그 무엇이 아닌 나다. 무엇이 아니라서 무엇이 되기 위해 시작이란 것을 한다. 그 무엇이 되기 위해 말이다. 그런데 마음처럼 쉽지 않다. 관념이 현실이 되긴 사실 불가능하다. 관념의 나, 그 무엇이 된 나는 한없이 대단해 보인다. 그 대단한 나를 위해 애쓰고 또 애쓴다. 그러나 관념 속 그런 내가 현실에 있을 순 없다. 현실의 나는 항상 그 무엇이 되지 못한 그런 나다. 그 무엇이 되기로 마음먹은 순간부터 어쩌면 이루어지지 않는 꿈으로 나는 실패한 내가 된다. 항상 나는 그것이 아닌 나로 있으니 말이다.

아집은 무엇이 되고자 하는 내 마음이기도 하다. 그 아집이 단단하면 관념이 아닌 지금의 나는 참으로 못마땅하다. 화가 난다. 그렇게 노력해도 이것뿐이니 내 모든 게 만족스럽지 않다. 거기에 부모도 선생도 온 사회도 바로 그것이 되지 않으면 안 된다고 하니 더 화가 난다. 그들 모두에게도 나는 실패자이니 말이다. 아집이 단단해지면 아내 내 존재 자체가 부끄럽다. 그러니 더 화를 낸다. 남은 것은 실패자의 부끄러움뿐이니 말이다.

'진에(瞋恚)'라는 말이 있다. 미워하고 성내는 마음이다. 만족을 모르니 미워하고 성낸다. 무엇이 되고자 하는 순간부터 우린 너무나 쉽게 만족을 모른다. 항상 조금 더, 그리고 조금 더, 그렇게 만족을 모르는 삶을 살아간다. 결국 욕심이 이끄는 삶, 그 무엇이 되려는 아집에 사로잡힌 삶을 살아간다. 그러니 너무나 쉽게 자기 자신에게 실망하고 조금이라도 자신에게 방해가 되는 것은 미워하고 성을 낸다.

관념 속 자신은 절대 현실이 될 수 없다. 관념 속 자신이 현실의 자신을 지배하는 순간, 모든 것이 만족스럽지 않고, 모든 것이 실망스러우며, 걱정할 것만 가득할 뿐이다. 자본의 세상, 권력의 세상, 결국 드러남의 세상, 자랑의 세상, 과시의 세상, 만족하며 멈추면 누군가 자신을 지나쳐 더 많은 자본과 더 강한 권력을 가질까 두려운 세상, 그 두려움이 싫어 만족 모르고 살아가며, 미워하고 성내기가 일상인 세상, 지옥이 따로 없다. 그냥 여기가 지옥이다. 결국 만족과 불만족도 없는 비움만이 답이다. 무엇이 되기 위한 삶이 아닌 아무나가 되어 사라져 가는 게 답이다. 그런데 이것이 참 쉽지 않다. 그렇게 우린 또 우리 자신에게 실망하고 미워하고 성을 내며 하루를 살아간다.

31. 무탐(無貪)

나는 나를 만난 적이 있는가? 자본의 세상, 권력의 세상, 더 많은 자본과 더 강한 권력을 향하여 달리는 세상, 나는 만족 없이 더 많은 자본과 더 강한 권력을 향하여 달려야만 하는 존재, 아직 이루지 못한 실패자, 아직 더 달려야 하는 실패자, 이런 나를 마주하는 순간, 실패자의 모습으로 초라한 나만 마주하게 되는 지금, 나는 어쩌면 나를 애써 외면하고 있는지 모른다. 마주한 나는 부정되어야하는 나이기에 말이다.

탐욕(貪慾)을 버리란 말은 더는 나의 밖과 다투며 더 많은 것을 얻기 위해 싸우는 삶을 멈추라는 말도 되지만, 이제 그 탐욕 속 불쌍하게 쪼그리고 앉은 자기 자신을 안아주란 말이 된다. 얼마나 힘들게 지금 그 자리까지 자기 자신에게조차 인정받지 못하고 살아온 그런 자기 자신을 안아주란 말이다.

돈을 위해, 가정을 위해 이런저런 것을 포기하게 만든 무언(無言)의 폭력, 아예 공개적으로 꿈을 좌절토록 만든 언어의 폭력, 나로 살기 위한 나를 향한 어떤 상상도 허락되지 않은 폭력, 그 폭력 속에 결국 나에게도 안기지 못한 나, 쪼그리고 앉아 실패자, 죄인이 되어 버린 나, 그런 나를 안아주기 위해 탐욕을 버리란 말이다.

출가(出家), 출가란 바로 그런 탐욕의 공간으로부터의 벗어남이다. 진짜 나를 안아주기 위한 첫걸음이다. 정말 집에서 나가란 말이 아니다. 그 탐욕으로 자기 자신을 보기도 말고, 자기 자신을 탐욕으로 보는 이들로부터 자신을 떨어뜨리란 말이다. 그때 바로 그때, 자기 자신을 안아줄 수 있기에.

'무탐(無貪)'이란 말이 있다. 탐욕이 없는 곳, 나는 나를 만나 안을 수 있다. 탐욕이 없는 곳에 나는 나 아닌 너를 만나 너와 우리를 이룰 수 있다. 제대로 더불어 있을 수 있다. 탐욕이 없는 곳, 나는 나의 비어 있음 속에서 무엇에도 사로잡히지 않는 나를 느끼게 된다.

지금도 자기 자신을 만나 안아주지 못하고 있다면, 자신을 향한 그 오랜 탐욕의 폭력이 아직도 자신을 사로잡고 있다면, 탐욕에서 벗어나자. 출가의 길을 가자. 무탐, 바로 그곳에서 나는 나를 만나고 너를 만나 더불어 미소 지을 수 있을 것이니 말이다.

32. 출가(出家)

무엇이 되라고 말한다. 어려서부터 듣던 말이다. 이런 사람이 되고 저런 사람이 되고, 하여간 무엇이 되라고 한다. 군사 독재자의 시대, 아이들은 장군이 되고 싶었다. 그 말에 어른들도 무언의 동의를 했다. 장군이 되고 싶다는 말은 강자가 되겠다는 말이니 말이다. 남을 이기고 남의 앞에 서는 사람이 되겠다는 말이니 말이다. 그렇게 자기 자신을 만드는 것을 부모의 일이라 생각한 이들도 많았다. 수단과 방법을 가리지 않고 말이다. 남과 다른 삶을 어려서부터 가르친 거다.

무엇이 돼라! 무엇이 되어야 한다. 결국 이런 말은 누군가의 삶을 규정하는 말이다. 그 규정은 어느 순간 그의 기준이 된다. 그가 정말 무엇을 바라는지 스스로 자기 자신을 돌아보며 자기 삶을 만들어가는 시기, 이런 강요된 기준은 그의 삶을 완전히 앗아가 버리기도 한다. 그가 정말 하고 싶은 것은 참아야 하는 무엇이고, 명령에 순종하며 살아가는 것이 삶의 방식이 되어 버리기도 하니 말이다.

무엇이 되라며 자꾸 자기 욕심과 대단하지 않은 자기

답을 강요할 게 아니라, 자신을 떠나 그의 삶을 살게 하는 게 부모다. 그게 선생이고 그게 정말 제대로 된 응원이다. 나의 욕망과 나의 답을 강요하여 그의 존재라는 빈자리에를 가득 채우는 것이 아니라, 온전히 그의 힘으로 그 빈자리를 채워가게 돕는 거다. 명령이 아닌 대화로 그의 도움이 답이 아닌 조언으로 함께 하는 정도가 부모의 일이고 선생의 일이다.

출가(出家)라는 말이 있다. 세상이란 욕망에서 벗어나 모든 것을 비우며 살아가는 삶의 시작이다. 꼭 절이나 수도원의 수도자가 될 게 아니라, 우리 삶에서도 출가는 필요하다. 부모와 선생이 만든 욕망의 구조에서 벗어나 그 모든 것을 비우고 온전히 새롭게 자기 자신을 돌아보며, 자유로이 자신이 될 필요가 있기 때문이다. 자기 삶의 진지한 구도자(求道者)가 될 필요가 있기 때문이다. 구도자가 구하는 그 길은 빈 마음으로 그가 궁리하며 나아가야 한다.

부모가 사라진 자리에도 세상의 욕망은 우리에게 명령한다. 이렇게 살라고 말이다. 그리고 그 기순에 이르지 못하면 스스로 실패자로 여기게 만든다. 출가가 필요한 시기다. 명령이 아닌 자기 자신의 길을 위해 비울 차례다. 장군이 돼라! 부자가 돼라! 이런 말보다 영겁의 시간, 단 한 번의 삶, 온전히 네가 되어 너로 살라 이야기할 때이고, 나 자신도 나에게 그리 다짐할 때다. 이곳의 이 힘겨운 명령에서 자유로이 살기 위해.

그래도 산다. (사진 유대칠)

사실 그렇다.

가만히 앉아
멍하니 눈뜨고
아무것도 보고 있지 않을 때
어쩌면 바로
그때
나는 제대로 나인지 모른다.
여기 무엇이 있는지
여기 무얼 보고 있는지
아무것도 모른 채
그냥
있다.
나도 저 먼지처럼
아무것도 아닌 것으로
그냥
놓여 있다.
그때
나는 가장 온전히 나로 있다.
그때
나는 진다.
나는 아무것도 아니다.